LOUIS GAUTHIER

Louis Gauthier est né à Montréal en 1944. Il a fait des études en philosophie, puis il a travaillé, le plus souvent à la pige, comme rédacteur ou comme concepteur publicitaire. Ses trois premiers romans ont paru aux Éditions du Cercle du livre de France: *Anna* en 1967, *Les aventures de Sivis Pacem et de Para Bellum, tome I* en 1970 et *Les grands légumes célestes vous parlent* en 1973. Ensuite il a publié, chez VLB Éditeur, *Souvenir du San Chiquita* en 1978, *Voyage en Irlande avec un parapluie* en 1984 et *Le pont de Londres* en 1988. Tous ces livres ont été réédités en format de poche dans BQ où est parue également l'édition originale des *Aventures de Sivis Pacem et de Para Bellum, tome II*. En 2002, Louis Gauthier a publié aux Éditions Fides son *Voyage au Portugal avec un Allemand*, qui lui a valu le Grand Prix littéraire de la Ville de Montréal. Louis Gauthier habite toujours Montréal et il y travaille comme traducteur.

VOYAGE EN IRLANDE AVEC UN PARAPLUIE

Voyage en Irlande avec un parapluie raconte avec beaucoup de réalisme et un humour très personnel les principales étapes d'un itinéraire qui mène le lecteur de Montréal à Dublin en passant par New York et Londres. L'histoire d'un voyage plutôt banal, sauvé *in extremis* par une brève histoire d'amour. L'histoire d'un homme aux prises avec un souvenir qui l'encombre autant que son parapluie, un homme qui ne pleure pas mais sur qui le ciel pleut abondamment. Un livre bref et intense, qui ne laisse personne indifférent.

VOYAGE EN IRLANDE
AVEC UN PARAPLUIE

Pour toi Mon Amour!

Un peu de Rêve,
Un peu de Pluie,
Beaucoup d'Amour,

En attendant
d'y retourner!
avec moi je
l'espère.

Je t'aime
Catherine

Benoît
...xxx...

Noël 2008

DU MÊME AUTEUR

Anna, Montréal, Cercle du livre de France, 1967; Montréal, BQ, 1999.

Les aventures de Sivis Pacem et de Para Bellum, tome I, Montréal, Cercle du livre de France, 1970; Montréal, BQ, 2000.

Les grands légumes célestes vous parlent, précédé de *Le monstre-mari*, Montréal, Cercle du livre de France, 1973; Montréal, BQ, 2002.

Souvenir du San Chiquita, Montréal, VLB Éditeur, 1978; Montréal, BQ, 2003.

Le pont de Londres, Montréal, VLB Éditeur, 1988; Montréal, BQ, 2000.

André Moreau, un génie méconnu, entretiens, Montréal, Éditions des Intouchables, 2001.

Les aventures de Sivis Pacem et de Para Bellum, tome II, Montréal, BQ, 2001.

Voyage au Portugal avec un Allemand, Montréal, Éditions Fides, 2002.

Louis Gauthier

Voyage en Irlande avec un parapluie

BIBLIOTHÈQUE QUÉBÉCOISE

BQ

BIBLIOTHÈQUE QUÉBÉCOISE est une société d'édition administrée conjointement par les Éditions Fides, les Éditions Hurtubise HMH et Leméac Éditeur. Bibliothèque québécoise remercie le ministère du Patrimoine canadien du soutien qui lui est accordé dans le cadre du Programme d'aide au développement de l'industrie de l'édition. BQ remercie également le Conseil des Arts du Canada et la Société de développement des entreprises culturelles du Québec (SODEC).

Conception graphique : Gianni Caccia
Typographie et montage : Dürer *et al.* (MONTRÉAL)

Données de catalogage avant publication (CANADA)
Gauthier, Louis, 1944-
Voyage en Irlande avec un parapluie
Éd. originale : Montréal; VLB, 1984.
ISBN 2-89406-178-1
I. TITRE
PS8563.A86V69 1999 C843'.54 C99-941372-4
PS9563.A86V69 1999 PQ3919.2.G38V69 1999

Dépôt légal : 4e trimestre 1999
Bibliothèque nationale du Québec

IMPRIMÉ AU CANADA EN OCTOBRE 2003

S'il est vrai que l'inaction est toujours une chose insupportable, imaginez à quel point elle peut travailler le cerveau d'un homme qui a les pieds mouillés.

Capitaine W. E. Johns,
Biggles Sees It Through

Il est quatre heures de l'après-midi et les bars sont fermés. De gros nuages blancs roulent très vite sur le ciel bleu. Il fait froid, je marche dans les rues désertes à la recherche d'un endroit où déposer mon sac. C'est une espèce de sac de soldat, un cylindre mou en grosse toile avec des poignées de cuir au milieu et une courroie pour le porter sur l'épaule. Ceux des soldats sont kaki; le mien est bleu. Je l'ai acheté juste avant de partir. Après y avoir mis mon sac de couchage, je me suis aperçu qu'il ne contenait presque rien d'autre.

Le village est situé au sommet d'une petite falaise. D'un côté, une longue route en pente descend jusqu'au quai. Le paysage est large et le regard porte loin, sur la terre et sur la mer. Il vente, le temps change vite. Derrière les nuages blancs, de gros nuages gris au ventre noir apparaissent. Ici et là, des trouées de ciel bleu, de plus en plus rares. Sur la mer, des vagues courtes, avec des crêtes moutonnantes. Dans le village, personne. On le croirait abandonné. Je descends jusqu'au quai pour vérifier l'heure du traversier. Il commence doucement à pleuvoir, des gouttes très fines, à peine perceptibles.

Le traversier ne partira que demain. En marchant sur la plage, je croise deux touristes françaises et nous jasons un peu, les pieds dans le sable, abrités sous le porche d'un petit bâtiment de pierre, à l'usage des baigneurs sans doute, fermé en cette saison. Puis je remonte la côte sous la pluie qui augmente tout à coup. Avancer pas à pas n'a rien d'héroïque mais il n'y a pas d'autre solution. Je serai trempé, tant pis. La marche permet de bien apprécier les distances. Le cerveau panique un peu au début, puis se calme. Pas moyen d'aller plus vite, de toute façon.

Toutes sortes de pensées traversent mon esprit : si Jésus-Christ m'apparaissait maintenant, incarné, en chair et en os, et s'Il n'était pas plus sympathique que ça, qu'est-ce que je ferais ? S'Il n'était pas ce grand barbu aux cheveux longs avec une bonne gueule, mais plutôt petit, rondouillet, avec un air d'agent d'assurances? S'Il me disait: viens et suis-Moi? Je me souviens d'une image que j'avais reçue quand j'étais petit, une *image sainte* comme on disait: il y avait ce Christ au visage douloureux et en même temps si merveilleusement doux, tragique et séduisant, et dessous, à l'encre rouge, cette phrase: *Que ferait et dirait Jésus à ma place?* Pendant des semaines, je m'étais posé cette question à propos des choses les plus insignifiantes. Jésus à ma place aujourd'hui avancerait pas à pas avec l'eau qui Lui dégouline dans le cou et les mèches de cheveux mouillés collées sur le front, mais surtout jamais Il ne se serait mis, Lui, dans une situation pareille. Jésus, le Christ: l'influence du témoin de Jéhovah persiste. Mais pourquoi ne m'a-t-il pas invité à la Salle du Royaume? À dormir chez lui comme un pauvre chrétien?

Personne sur la route et je ne peux rien faire d'autre que marcher avec le sentiment de plus en plus net de ne pas être un héros de roman, juste un pauvre être humain aux prises avec la vie et la platitude, à moins que tous les héros ne connaissent aussi ces moments dénués de toute grandeur où il faut simplement avancer pas à pas et remonter la pente de son propre désespoir. L'air est bon et la pluie réveille, mais il n'arrive rien, rien ne se passe, et dans ma tête le paysage s'abîme en mots et sa gloire se dilue dans un insoutenable sentiment de vide et d'inutilité.

Maintenant il est cinq heures et les bars ne sont pas encore ouverts : ici, les lois sur l'alcool sont plutôt restrictives. Je m'emporte contre ce village trop joli et peu accueillant, ces maisons de pierre propres et inhabitées, ces vies rangées où il n'y a pas de place pour l'imprévu. Je veux m'asseoir au chaud quelque part et prendre une bière, je ne sais pas faire autre chose vers cinq heures de l'après-midi, quand la journée s'allonge un peu trop, quand le silence devient un peu trop lourd à porter, que d'entrer dans un bar et laisser doucement les souvenirs m'envahir, me raconter ma vie comme on la raconterait pour la postérité et inventer, si par hasard j'ai le vin gai, des folies que personne ne saura jamais. Je suis seul, je ne veux parler à personne, pourtant à qui est-ce que je parle ainsi sans arrêt...

* * *

C'était à Fishguard, en plein pays de Galles, avant de prendre le bateau pour l'Irlande. Le témoin de Jéhovah m'avait emmené depuis Cardigan, plus au nord sur la côte, où je faisais du pouce à la sortie du village, au bord d'une route encaissée par des remblais de terre meuble et protégée par des haies de saules battues par le vent. Il faisait froid, des averses de temps à autre me forçaient à ouvrir mon parapluie que les bourrasques tiraillaient. La route était déserte, je ne trouvais pas d'endroit pour m'abriter. Les rares autos me filaient sous le nez. J'étais bien content que celle-là s'arrête. Un petit dimanche matin pluvieux, une bonne petite journée pour rester bien au chaud à lire près du poêle en fumant sa pipe pendant que les enfants s'amusent dans un coin. Qu'est-ce que je faisais là sur la route ? Je raconte encore une fois mon histoire : l'envie de voir le monde, le besoin de bouger, le goût de sortir de la routine. Des choses vagues, plausibles, pour tâter le terrain. Les vraies raisons, je ne les dis jamais tout de suite ; seulement si la situation s'y prête.

Pour chacun, j'ai une petite version différente, personnalisée, adaptée aux circonstances. Celui-ci m'énerve. Je n'aime pas sa tête, son visage rondelet aux traits mous. Il a trente-deux ans, le même âge que moi. Il a l'air d'avoir dix ans de plus et me parle avec suffisance. Oui, oui, il a voyagé lui aussi, un jour avec son épouse il est allé jusqu'en France. La Bretagne, la Normandie, Paris. Ce n'est vraiment pas la peine. Rien n'est aussi beau que son coin de pays, d'ailleurs plusieurs touristes lui en ont fait la remarque. Il y a la mer, il y a les montagnes, le soleil l'été, parfois un peu de neige en hiver, il y a la plage, la campagne, et la ville qui n'est pas si loin. La ville, c'est Swansea, mais Swansea ou Paris, c'est toujours la ville. Inutile de courir le monde. Il me cite la Bible, le chapitre exact, le verset. La Bible dit qu'il faut rester chez soi, surtout si on a le bonheur d'habiter Fishguard, et s'occuper du salut de son âme.

J'allume une cigarette. Il me fait gentiment remarquer que le corps est le temple de Dieu. Lui ne fume pas, il ne boit pas non plus. Je regrette de ne pas avoir un petit dix onces de *Southern Comfort* dans mes poches. Je n'aime pas qu'on me fasse la morale. La morale, je l'ai dans le sang. Chaque fois que je bois, elle me remonte au cerveau, claire, précise, comme un plan de la Ville, avec ses interdits, ses commandements, ses paradoxes. Oui, je suis un mauvais chrétien, le Christ n'est-il pas venu pour sauver les pécheurs?

Je regarde le paysage, les petites affiches qui nous promettent Fishguard dans quinze, dans dix milles. Dans huit milles. Oui, la religion m'intéresse. D'ailleurs, je suis présentement sur la route de l'Inde. Le bouddhisme, le vedânta, le zen, tout ça. Il me regarde du coin de l'œil, comme si je n'étais pas sérieux. Le bouddhisme? De pauvres gens qui crèvent de faim pendant que leurs vaches sacrées sont adorées comme des dieux?

Nous en sommes à passer en revue les différents animaux de la Bible, ânes, chameaux, cochons, bœufs, et le comportement à adopter à leur égard, lorsque nous arrivons à Fishguard. Je descends sur une petite place déserte et mal réveillée. Mon bon samaritain m'abandonne en vitesse car il se rend à la Salle du Royaume entendre la Bonne Parole au milieu de ses frères, sauvés comme lui. J'aurais aimé qu'il m'invite à les rejoindre, mais je sais bien que j'en suis indigne. Tant mieux, ça m'évitera de finir baptisé par immersion au fond d'un bénitier géant.

* * *

J'étais parti de Montréal dix jours plus tôt. Là-bas aussi il pleuvait, c'était la mi-novembre, les rues étaient presque désertes, les rares passants se cachaient dans leur imperméable, relevant leur col, inclinant leur parapluie noir, anonymes dans la nuit. Nous marchions tous les trois dans le froid humide et désagréable qui nous enveloppait comme un drap mouillé. Je ne me souviens de rien de précis, je me souviens seulement de nous trois, Angèle, Paul et moi. Quelle importance... Paul parlait de Londres, du peuple anglais qui était bien, après tout, un des plus civilisés de la terre, il racontait sa vie dans les hôtels là-bas, les sommes fabuleuses qu'il avait dépensées. Angèle et moi ne parvenions pas à nous rejoindre. Ce n'était pas la première fois. Il ne restait presque plus rien entre nous que le souvenir d'un éblouissement tel que nous ne voulions pour rien au monde risquer de dire quoi que ce soit qui aurait pu nous en faire douter. Tout cela devait rester tacite, comme si quelqu'un qui nous avait été très cher était mort et qu'il fallait éviter d'en évoquer le souvenir, ce souvenir qui pourtant était tout ce qui nous unissait. Nous avions changé, l'un et l'autre, chacun à notre façon, et cela nous éloignait de ceux que nous avions été.

Angèle semblait préoccupée, elle jetait des regards tout autour d'elle dans la salle du restaurant où nous nous étions finalement attablés, buvant du vin rouge.

—Comment va l'écriture? demanda-t-elle tout à coup.

Je répondis que je n'écrivais plus, que je ne voulais plus écrire, qu'il n'y avait plus que le silence qui me satisfaisait. Je prétendis que la littérature était une maladie, ruineuse pour l'organisme, dangereuse pour la société, inutile pour la vie et malsaine à sa source. Angèle se moqua de moi. Paul affirma que j'écrivais en cachette, que je prenais des notes le soir en rentrant à la maison. J'exposai ma théorie du moment: la vie était une fiction, de toute manière. La réalité ne nous concernait pas. La réalité concernait la matière et l'esprit et nous étions entre les deux, nous étions à la fois les créateurs de la fiction humaine et ses produits. La littérature, si on ne trichait pas, ne pouvait que conduire au silence.

Plus tard, Angèle dit qu'elle aurait aimé partir elle aussi. J'en eus un pincement au cœur et j'éprouvai, un court instant, une immense envie de lui dire: «Viens avec moi, recommençons.» Mais cela faisait partie des choses qu'il ne fallait pas dire. On ne recommence jamais. Elle soupçonna peut-être la pensée folle qui m'avait un instant traversé l'esprit. Mais l'Inde ne l'intéressait pas. Elle pensait à l'Italie, à la Grèce, à la Méditerranée, à ces pays pleins de douceur où la vie n'est pas remise en question mais simplement reçue comme un bienfait.

J'avais encore envie de partir, j'avais autant envie de rester. Pas de doute, nous étions bien, à parler ainsi sans urgence, à manger et à boire, et cela aurait pu recommencer soir après soir, cette belle vie si comestible que j'avais l'impression de me nourrir de l'âme même de mes amis, bercé par l'alcool et ses grandes vagues chaleureuses. Pourquoi est-ce que j'en avais assez de tout cela? Qu'est-ce qui me manquait? Je n'arrivais pas à le dire.

* * *

L'autobus Greyhound s'enfonce dans la nuit et les problèmes québécois commencent à perdre de leur importance. Néons des stations-service sur le ciel au bout de leurs mâts d'acier, champs sombres, forêts noires, et toujours, dans la vitre fumée, le reflet obsédant de mon propre visage superposé partout au paysage, avec des yeux qui m'observent. Dans le confort ronronnant de l'autobus, ils cherchent la raison d'être de cette présence, ils guettent les effets de ce paradoxal désir de soumission : vouloir ne pas vouloir. Vouloir s'en remettre au destin, avoir choisi librement de s'en remettre au destin, avoir voulu être là, prisonnier à l'intérieur d'un autobus, emporté sans défense, à la merci des humeurs et des réflexes d'un chauffeur inconnu, moyen, neutre, avoir voulu que cela puisse être, surveiller par la fenêtre une nuit américaine qui déjà vibre autrement, comme un corps étranger, une nuit plus nerveuse, ou bien c'est la conscience du voyageur lui-même qui déjà vibre autrement parce qu'elle sait bien, la conscience, ce qui va lui arriver à ce petit jeu, à sauter les frontières, à changer les codes, et elle résiste, elle fait bien de résister.

* * *

Dans la petite pluie grise de novembre, un arrêt vers trois ou quatre heures du matin, encore quelques heures de mauvais sommeil, la blancheur crayeuse de l'aube, laiteuse et tiède, des nœuds de plus en plus compliqués d'autoroutes, tout à coup pendant quelques secondes la silhouette irréelle des gratte-ciel, puis un tunnel sous l'Hudson River, les garages souterrains de la Port Authority Bus Terminal, l'autobus s'arrête avec un soupir et le moteur se tait.

New York. Je n'ai pas traîné longtemps à New York, j'ai mal dormi, je suis fatigué, je ne parviens pas à trouver les renseignements que je cherche. Regards agressifs, gestes brusques, rien n'arrive comme je l'avais prévu, tout se complique et je me dis que j'aurais mieux fait de rester chez moi, me réveiller doucement dans un grand lit propre avec une belle fille rieuse et continuer la vie facile de tous les jours. Il faut dire qu'à New York c'était le *Thanksgiving*

Day. Les bureaux de Lakers Airlines étaient fermés, les restaurants étaient bondés à cause de la parade et le téléphone public refusait d'accepter mes pièces de monnaie canadienne de sorte que je pensais que même les machines étaient contre moi.

Mais quelques heures plus tard les choses s'arrangent ; mon billet d'avion en poche, je reprends vie. Assis dans un bar tranquille, je bois une bière avec une nonchalance étudiée de grand voyageur. L'unique cliente, une blonde dans la cinquantaine, interrompt son échange de potins avec le barman pour engager la conversation avec moi. Je mets les choses au plus beau : je suis écrivain, je pars le soir même pour l'Inde via l'Angleterre, six mois d'aventures parmi les gurus, les parias, les maharajahs et les éléphants aux parures d'or et de pierres précieuses. Elle me regarde avec des yeux pleins d'envie : elle a toujours rêvé d'écrire ! Cent fois j'ai entendu des gens me dire la même chose, ça paraît tellement bien, écrivain, quand on ne sait pas ce qu'il y a derrière, les pages reprises dix fois, le manque d'argent, les découragements, les milliers d'heures de travail, les incertitudes, l'anonymat, l'insécurité, l'incompréhension. Mais pour ne pas détruire la belle image, je me contente de lui dire que je suis sûr qu'elle serait capable d'en faire autant si elle s'y mettait, et pour l'amuser je lui suggère d'écrire un livre sur les pays qu'elle n'a jamais vus, le Népal, le Tibet, le Cachemire. J'aime la sonorité de ces mots dans ce bar déserté de Queen's et j'espère que ça la fait rêver. Nous échangeons encore quelques phrases, puis je la quitte, rassuré sur moi-même. *Good luck, take care,* elle est sûre que j'écrirai un beau livre et moi je suis content d'avoir pu parler à quelqu'un aujourd'hui.

* * *

« Propulsés par les turboréacteurs, nous déchirons le ciel dans son droit fil, au-dessus des nuages, des mers et des littératures. » Je recapuchonne mon stylo bic et retourne la carte postale achetée à l'aéroport pour contempler encore une fois les couleurs criardes de Times Square. Le soleil brille dans les hublots et je sens une joie profonde monter en moi. Tout le monde a mal dormi, les tables roulantes des hôtesses qui servent le petit déjeuner bloquent les allées étroites, les passagers engourdis s'entassent devant la porte des toilettes et chacun continue de se livrer à ses occupations profanes comme si nous n'étions pas en train de survoler le globe terrestre. Je sors mon crayon de ma poche et j'écris l'adresse d'Angèle dans la partie de la carte réservée à cette fin.

Piquée dans l'immensité bleue du ciel et de la mer, l'Irlande scintille sous l'aile de l'appareil, aussi claire et précise qu'un atlas géographique en relief. Je bois mon café sans pouvoir détacher les yeux de ce spectacle. Quelques nuages blancs au-dessus de la mer, puis la côte anglaise apparaît et s'efface presque tout de suite sous une couche de brouillard gris de plus en plus dense. Bientôt l'avion entreprend sa descente, un nuage épais bouche les hublots, nous sommes plongés dans les limbes, et puis tout à coup nous revoici sous les nuages, le sol apparaît, coloré, tout près, exquise miniature avec des troupeaux de moutons beiges dans des champs en damier d'un vert tendre, des fermes cachées derrière des haies que nous découvrons à la verticale, du haut des airs, avec chacune son étang où glissent de grands cygnes.

L'aéroport de Heathrow, les douaniers polis comme des gentlemen. Une signalisation parfaite m'amène en douceur jusqu'à un beau train vert olive qui part presque aussitôt et glisse avec le martellement régulier et assourdi des roues sur les rails à travers des banlieues de brique rouge. Victoria Station, euphorique je me retrouve au cœur de Londres, et je marche, je marche pendant des heures, je m'emplis les yeux de mille merveilles, bercé par je ne sais quelle magie de ces noms si souvent entendus et tout à coup devenus réels : Piccadilly Circus, Soho Square, Charing Cross, London Bridge, Chelsea, Trafalgar Road, Carnaby Street, la Tamise, quelle ivresse, je n'en reviens pas, c'est comme un rêve, j'ai atterri dans un rêve et je m'y promène comme je veux. Comme ce matin, je sens monter en moi d'indescriptibles bouffées de bonheur, de grandes vagues de joie pure, des frissons d'extase et de liberté. Je n'ai de comptes à rendre à personne, personne ne sait où je suis, ce que je fais, personne ne sait qui je suis et c'est comme si je n'étais plus rien, rien que cette plaque sensible sur laquelle s'impriment successivement tous les carrefours de Londres, rien qu'un miroir, et je ne veux rien faire d'autre que marcher jusqu'à l'épuisement, me saouler de cette prodigieuse paix, de cette prodigieuse béatitude.

* * *

J'attends Jim devant la belle cabine téléphonique rouge qu'on ne peut pas manquer quand on descend du train à Crystal Palace et qu'on suit la rue juste en face de la gare. C'est là que nous nous sommes donné rendez-vous. Je ne l'ai jamais vu mais il est sûr de me reconnaître d'après la description que Paul lui a faite de moi.

Je guette les autos qui ralentissent, tournent ou s'arrêtent devant moi, et je fais des sourires engageants à des inconnus. Ils descendent poster une lettre ou donner un coup de téléphone sans rien comprendre à mon affabilité. Finalement, un grand garçon que je n'ai pas vu venir me tape sur l'épaule: «*I'm Jim!*» Veston de tweed, grand foulard autour du cou, bottes de cuir fines et élégantes, il mesure bien trois pouces de plus que moi et me tend une large main. Je me sens mal habillé, frippé et misérable. «*Where is your luggage?*» Mes bagages? Je les ai laissés à Londres, à la consigne. Je ne voulais pas déranger.

* * *

Finalement, ça n'a pas changé grand-chose. Au bout de deux jours, j'ai pris mes habitudes : je sais où acheter le journal, la bière, les *fish'n chips*. Il fait doux et il ne pleut pas. L'appartement de Jim est parfait, moderne, sur deux étages, avec une douche chaude, une télé couleur, des disques, du hasch et quelques bons livres.

Le ciel est gris, uniformément, mais il traîne une lumière diffuse partout, sur les gazons des parcs, les angles bruns et rugueux des murs, et tout en est adouci.

Pendant une semaine j'habite chez Jim. Vie facile qui ressemble de plus en plus à la vie que je menais avant mon départ. Prendre un verre, fumer un joint, parler, rire, plaire, me revoici à nouveau engraissé comme un petit cochon, comme si je ne parvenais pas à échapper à mon destin, à ce destin facile de bourgeois pour qui tout fonctionne d'une certaine façon, à un certain niveau : tant d'onces d'alcool, tant de grammes de hash, tant d'heures de loisir, tant de mètres cubes de confort. Alors les mêmes questions reviennent. Que faire maintenant?

Aussitôt que je m'arrête, c'est comme si tout s'arrêtait autour de moi, une sorte de croûte épaisse recommence à se former, tout stagne et se coagule et je vois avec horreur ce qui m'avait paru coloré, vif et mouvant pendant quelques jours, reprendre tout à coup les sombres contours de l'habitude, de l'enlisement, du désespoir. Londres ne m'étourdit plus et je me revois là, en plein milieu de mon vide et de mon inutilité, oppressé par les mêmes questions lourdes et ennuyeuses qui gâchent tout mon plaisir.

Incapable d'avancer dans mon projet d'écrire un roman spiritualiste dont je ne réussis jamais qu'à décrire sommairement l'architecture complexe sans parvenir à y pénétrer, je décidai que je n'étais pas venu en voyage pour retomber dans la même ornière, celle du plaisir facile et de l'oubli, et je partis pour l'Irlande.

* * *

Londres, le seul nom de Londres résonne maintenant dans ma tête avec ses rouilles et ses ors, avec son bruit sourd de train sur des rails, son bruit de grille qui se ferme et ses rues pavées d'or, d'illusions et de misère comme dans un roman de Dickens.

* * *

Lundi. Le traversier quitte Fishguard sous un ciel menaçant. Je fais un tour sur les ponts, regardant la côte s'éloigner. La mer est houleuse, je me promène en zigzaguant, me retenant ici et là aux rampes métalliques peintes d'un blanc épais. J'ai toujours aimé les traversiers, même entre Lévis et Québec, même entre Sorel et Berthier. J'ai encore une photo d'Angèle sur le traversier de Tadoussac, ses cheveux au vent, son châle drapé autour d'elle comme la tunique d'une caryatide et ses yeux transparents regardant au loin comme si nous avions été en pleine mer.

Je monte, je descends, je vais de la proue à la poupe, je grimpe sur le pont supérieur, il n'y a que moi, tous les autres sont à l'intérieur, il s'est mis à pleuvoir, je me laisse transpercer par le vent froid, respirant à pleins poumons l'air neuf et vif. Je m'accoude à la rambarde arrière, contemplant la déchirure plus claire que nous laissons dans notre sillage et au-dessus de laquelle piaillent quelques mouettes, je n'en reviens pas de tout ce romantisme, de ce mystère opaque et silencieux. J'éprouve comme un délicieux vertige la tentation perverse d'échapper mon sac à la mer, papiers d'identité, argent, billet de retour, souliers de rechange, chandail, chemises, bas, sous-vêtements, tout cela s'enfonçant entre des poissons indifférents, tournoyant doucement, ne voulant plus rien dire, disparu, fini, me laissant là, sans nom, sans passé, tel que je suis. Identité perdue, des villes entières englouties, happées par le flux du Temps, gobées, avalées, anéanties, effacées de la mémoire avec leurs fonctionnaires, leurs archives, leurs codes, noyées implacablement dans l'aveugle nuit des profondeurs.

Je projette mon mégot au loin, il vole un instant sur un courant d'air courbe puis va flotter parmi les détritus qu'un cuisinier vient de jeter par-dessus bord. Déjà les mouettes s'y précipitent en brisant leur vol. Dernier coup d'œil, je reviens à l'intérieur, je trouve mon chemin parmi les escaliers et les portes aux seuils surélevés et je m'asseois à une table dans l'espèce de grand salon vitré à l'avant du bateau où les passagers achèvent de s'installer. Un grand freak dans la trentaine pose presque aussitôt son sac de cuir à côté de moi et se laisse couler sur la chaise voisine comme s'il en prenait possession pour toujours, en lançant sur la table son passeport britannique. Il me regarde au fond des yeux, sans ciller, avec précision: «*Are you motoring?*» Je lui dis que non, je fais du pouce comme lui, je fais partie de la confrérie, un complice, un camarade. Il se lève sans dire un mot, ramasse ses affaires et s'éloigne vers une autre table. Bon. Je vais chercher une bière au bar pendant qu'une petite blonde aux yeux pâles, menue comme une poupée, traverse la salle, traînant derrière elle un gros pack-sac rouge et une mandoline. Le bateau tangue et roule sérieusement, il faut calculer chaque pas comme un ivrogne sur un trottoir instable. Toute la carcasse du bateau vibre quand une vague le soulève, puis il y a un glissement. Les trépidations du moteur se font plus fortes, l'étrave s'enfonce dans une nouvelle vague, la poupe se relève et l'horizon disparaît, reparaît, disparaît, avec parfois des poussées de côté qui ressemblent à des dérapages. Les deux barmans ont beaucoup de travail, les verres et les bouteilles s'entrechoquent violemment et j'ai peur à chaque instant qu'ils ne décident de fermer boutique. Les clients, eux, font face à une double difficulté : garder la bière dans leur verre jusqu'au moment de la boire et la garder dans leur estomac après l'avoir bue.

J'ai toujours entendu dire que les Irlandais étaient de solides buveurs : il y en a un, malade, à une table, qui vomit sur le plancher puis s'allume une cigarette et continue à boire, les deux pieds dans une flaque nauséabonde. Typique et imbécile. Me retenant d'une main au bar, je fais connaissance avec un grand roux qui revient chez lui après quelques mois passés à travailler en Angleterre. Je ne comprends pas trop ce qu'il me dit mais ça n'a pas l'air d'avoir beaucoup d'importance, il me paye à boire puis m'entraîne visiter les cales du bateau, au troisième sous-sol, où d'énormes camions attachés avec des chaînes tirent et poussent de toutes leurs forces. Je pense à une cargaison d'esclaves, version mécanique. Il n'y a pas grand-chose d'autre à voir, nous remontons par les ponts extérieurs. C'est maintenant la nuit, le ciel est noir et il vente toujours fort. Pas la moindre étoile en vue. J'abandonne l'Irlandais aux prises avec une tache de graisse noire sur son beau pantalon neuf. Dans le grand salon, tout le monde s'est enfoncé dans une sorte de mauvais sommeil bercé par le ronronnement assourdi et irrégulier des moteurs. Seule la petite blonde fixe les vitres embrouillées. Elle est vraiment toute petite: petites mains, petits doigts, taille minuscule, bien faite, comme un modèle réduit. Elle est Écossaise et s'appelle Linda. Elle vient d'une petite ville près de Glasgow, dont je n'arrive pas à saisir le nom. Je le lui fais répéter trois fois et j'abandonne. Quelque chose comme *Ghgh.* Je ne trouve rien d'intelligent à lui dire.

* * *

Le traversier accoste vers onze heures. Il vente toujours mais il ne pleut plus. Il y a quelques bâtiments près du quai, mais le village est plus loin, en haut de la falaise. Je pars à pied, avec Linda. Nous ne parlons pas. Il y a toutes sortes de silences. Le silence de Linda est un mur, une défense érigée autour d'elle; le mien est plein de mots qui n'arrivent pas à se dire. Le silence de Linda est un refus, elle n'a pas confiance, elle n'ouvre aucune porte, pas la moindre brèche que je risquerais de vouloir agrandir, forcer. Mon silence est une vague qui se brise sur ce rempart, qui revient contre lui-même, ondes troublées, dédoublées, flacottantes. Je cherche comment l'atteindre, l'ouvrir, la prendre, la dévorer d'amour. Ça ne l'intéresse pas, d'être dévorée.

En silence, nous escaladons la nuit, sous un ciel parfaitement noir. En bas, on voit le phare, le traversier encore tout illuminé, la mer noire. Un chien jappe. Le village est plongé dans l'obscurité. On distingue ici et là la masse lourde des maisons de pierre, des clôtures de bois sombre fermant des cours obscures, de vagues bâtiments avec des portes basses. Le chemin qu'on nous a indiqué s'éloigne du village, tourne à gauche, grimpe encore un peu. Nous apercevons les lumières d'une maison, le silence de Linda se teinte de soulagement.

Mrs. Fowley a préparé du thé pour les deux Néo-Zélandais débarqués du même bateau que nous et arrivés quelques minutes plus tôt. Il y a juste assez de chambres pour tout le monde. Dans le petit salon rempli de bibelots et de souvenirs, nous échangeons des sourires pleins de bonne volonté. Hanish est grand et mince, blond, avec un teint de santé. Christiana a les cheveux noirs et des yeux bleu foncé, remarquables, et ce même air de bonheur pur, doux, calme et indestructible. Ils sont venus par l'Asie et le Moyen-Orient, ils ont vu Hong Kong, les Philippines, l'Inde, le Pakistan. Ils sont passés par l'Iran juste avant que ne ferment les frontières, ils ont vécu deux mois à Skopelos, traversé l'Italie, fait les vendanges en France. Ils arrivent du pays de Galles où ils ont travaillé quelque temps sur une ferme, à s'occuper de chevaux. Ils sont tellement gentils et leur bonheur est tellement impénétrable, on dirait qu'ils ont trouvé la clé de la sérénité éternelle, qu'ils seront heureux toute leur vie, comme ça, bêtement, qu'ils ne connaîtront jamais les peines d'amour et la souffrance, les tortures et les déchirements qui sont le lot de tous les hommes et de toutes les femmes sur la terre. Ils retourneront en Nouvelle-Zélande dans six mois, après avoir vu les États-Unis et Hawaï, chacun reprendra son travail, ils auront des enfants. Je me sens mal à l'aise avec mes tourments devant ce couple trop parfait, j'ai envie de boire un scotch ou deux et de dire des tonnes d'imbécillités.

La petite Écossaise est là aussi, silencieuse, posée comme un chat de porcelaine au coin de la table à café encombrée de tasses et de soucoupes. Elle écoute, attentive, plie parfois une oreille dans ma direction, ferme à demi les yeux. Je ne sais pas pourquoi, je n'arrive à dire que des banalités, poser des questions d'interviewer sur l'Australie, Goa, Téhéran. J'entends ma voix beaucoup trop douce, monocorde, ennuyante, dépourvue de conviction. Je m'en veux de ne pas être plus drôle et je sais que ça ne changera pas, pas ce soir. Tout est figé dans le petit salon et il faudrait un coup de hache, un grand cri, un hurlement pour sortir de cette torpeur engourdie.

Linda nous parle un peu de la vie à *Ghgh,* du froid qu'il fait l'hiver dans les maisons. On me demande mon avis, en tant que Québécois je représente l'hiver, c'est comme si je possédais les droits d'auteur sur cette saison. Je dis d'autres banalités. Linda parle de Dublin où elle va retrouver des amis. Je lui demande de nous jouer un peu de mandoline mais elle est trop fatiguée, il est tard. Elle non plus n'a pas envie de malheur, de souffrance, de passion, et je ne peux pas lui en vouloir. Elle est si petite, si petite sous son énorme pack-sac rouge, s'élançant dans le vide qui sépare l'Écosse de l'Irlande, toute seule sur la route, sans rien d'autre que son courage, sans autre défense que son sourire, sa naïveté, sa gentillesse, tellement fragile qu'elle est obligée de faire comme si elle n'était pas là pour ne pas se laisser atteindre.

Ce soir je suis seul dans le salon de Mrs. Fowley, seul avec un couple de Néo-Zélandais où il n'y a pas moyen d'entrer, seul avec une petite Écossaise dont l'esprit est ailleurs, seul avec moi-même me prenant pour un autre et cet autre lui aussi fatigué d'être seul.

* * *

Elle est folle, j'en suis sûr. Je viens de la rencontrer par hasard au coin d'une rue où j'hésitais sous la pluie fine, ne sachant trop dans quelle direction m'engager. J'ai passé la journée sous cette pluie, à moitié abrité sous mon parapluie noir, «fouetté par les embruns» comme on disait dans les livres que je lisais quand j'avais quatorze ans et que je rêvais de partir, de voyager, d'être libre. Ce matin c'était pire encore, un froid de canard et des averses à boire debout, tous les autres sont partis vers Dublin après le déjeuner copieux de Mrs. Fowley, mais moi, touriste ambitieux, j'ai décidé de faire un petit détour par le sud et, profitant au mieux des accalmies, m'arrêtant ici et là dans les pubs, j'ai fini par franchir les quelque cent kilomètres qui me séparaient de Cork.

C'est à Cork où j'hésitais au coin d'une rue, tout près d'un pont, que je viens de la rencontrer par hasard. Je dis par hasard: en réalité, c'est moi qui l'ai abordée et j'aurais pu demander ce renseignement à n'importe qui d'autre, mais elle je la trouvais jolie, alors pourquoi pas. Oui, elle peut me dire où trouver une chambre, la meilleure chose à faire est de s'adresser au Tourist Office, elle va elle-même de ce côté et m'entraîne avec elle. C'est un drôle de numéro, un tourbillon, un tourbillon nerveux. Je viens de Montréal? Elle aime bien le Canada, elle a déjà vécu à Toronto, elle me débite toute son histoire à une vitesse ahurissante, quelque chose à propos de son mari là-bas, je n'ai pas le temps de placer un mot pour arrêter ce flot verbal, lui expliquer que j'en perds des bouts, elle ne me regarde même pas. Peut-être se parle-t-elle à elle-même ? Nous pataugeons dans les flaques d'eau et la boue que les *lorries* ont traînée de la campagne à la ville, j'en suis réduit aux hypothèses, je suppose que son mari est mort dans un accident d'auto et qu'elle est revenue à Cork et je me raccroche de mon mieux à la suite de l'histoire. Nous sommes pressés par la pluie, par l'heure de fermeture des magasins car elle a une commission à faire en route, par la foule agglutinée au coin des rues attendant les rares autobus. Je n'ai pas le temps de m'orienter, nous fonçons à toute vitesse à travers une mer houleuse de parapluies s'entrechoquant dans des cliquetis d'escrime, son mari vient de réapparaître dans un bureau d'avocats à Los Angeles, ça sent le chien mouillé, les pantalons humides et la buanderie chinoise et un demi-pas derrière elle je suis sa trace zigzagante, ayant abandonné tout espoir de comprendre quelque chose à son récit.

Nous nous retrouvons au Tourist Office où, à moitié ahuri, j'attends placidement mon tour mais les choses ne vont pas assez vite à son goût, elle reprend la situation en main, discute avec la préposée à l'information, donne un coup de téléphone et m'expédie finalement vers une maison où elle a déjà habité, pas trop loin du centre, et où une certaine Mrs. Kennefik m'attend déjà. Il fait noir maintenant, elle me met d'autorité dans un taxi, avec l'adresse bien indiquée sur un bout de papier. Je songe un instant à l'inviter à souper mais je n'en ai même pas le temps et d'ailleurs il n'en est pas question, ça n'a rien à voir, j'ai l'impression de n'avoir jamais existé pour elle autrement que comme une occasion d'exercer sa charité chrétienne. Il n'y a pas de place pour le désir, elle n'attend rien de moi, nous ne sommes pas deux individus se rencontrant, nous n'avons rien à voir ensemble. Il s'agissait simplement d'une erreur de parcours dont il fallait au plus vite annuler les conséquences peut-être catastrophiques. Mission accomplie, me voici de nouveau sur la bonne voie, j'allais m'égarer et elle m'a réorienté.

Et si j'aimais ça, moi, être perdu?

Non, non, il ne faut pas, j'imagine son doigt sur sa bouche et son œil un instant apeuré, quelle folie, non, non, il ne faut pas...

* * *

Ça y est. Je savais bien qu'il faudrait que quelque chose arrive et quelque chose est arrivé. Dans la petite ville de Cork, le bouchon a sauté. Quel jeu je joue avec moi-même, quelles angoisses inutiles, puisque finalement tout cela arrive, comme toujours. Il faut bien que ça arrive. Quand on a confiance, ça n'a pas le choix. Frappez et on vous ouvrira. Et si on n'ouvre pas, frappez, frappez et frappez encore. Et voilà que ça s'ouvre, cette fleur au sommet du crâne ouvre ses larges pétales et maintenant je suis poussé par le vent et je m'élève doucement, je m'envole, je vole et je le sais. Je tourne autour de la chambre, je me regarde dormir, souriant, et je sors, ni par la fenêtre, ni par les murs, mais simplement par le sommet de mon crâne, je me pose au sommet d'une tour et je sais que je ne rêve pas. Dans la ville noire et étrange de Cork, ma chambre est un reposoir avec un gros lit, de lourdes tentures, des candélabres, je veille pendant des heures mon propre catafalque en riant silencieusement d'être mort, je rêve que je ne rêve plus et tout cela a si peu d'importance maintenant, le plaisir et compagnie, les seules choses qui m'importent sont celles-là que j'ai découvertes dans cette euphorie soudaine, il n'y a pas de réalité, c'est ça, la liberté. Cork, l'odeur âcre du charbon, les rues étroites et sombres encaissées par des murs aveugles, cette impression de Moyen Âge, la fumée, l'air lourd et humide, et c'est le jour de ma fête et je suis seul et je n'ai personne à qui parler mais c'est ça que j'ai voulu, cette chambre noire et haute dans cette ville étrange et noire.

Ce soir je soupe dans un restaurant qui s'appelle Pizzaland et Pizzaland m'obsède comme le prototype de ce pays neutre et aseptique que deviendra un jour l'univers si l'empire américain réussit à réaliser son grand rêve d'uniformité propre et dévitalisée. Et ces vers d'un poète inconnu me trottent sans arrêt dans la tête :

They are burning down all the flags
In the garbage can behind McDonald's.

* * *

C'était au terminus d'autobus de San Salvador dans la foule barriolée et bigarrée mais combien triste pendant que jouait dans les haut-parleurs *Hotel California* des « Eagles » et cette chanson n'avait tellement rien à voir avec la situation alors que tu t'embarquais avec je ne sais combien de grammes de cocaïne dans cet autobus qui s'appelait *La Inquietud*.

* * *

Pizzaland m'obsède avec sa clientèle de pizzalandais sages et monotones et je bois un troisième verre de vin rouge à mes trente-trois ans lorsque j'aperçois un pizzalandais complètement saoul qui fait des grimaces à tout le monde au grand désespoir des serveuses. *« Bastards we are, bastards we stay ! »* Un vrai hobo, avec une barbe de trois jours et un manteau trop grand, qui dit à tout le monde ce que personne n'ose dire. Oui, c'est comme ça que les choses se passent au Royaume de Pizzaland : les trous de cul restent des trous de cul et on n'a pas besoin de révolutionnaires pour nous apprendre à faire la révolution. Chacun joue son rôle sans envier celui du voisin et le rôle du hobo saoul, déchu, malheureux, larmoyant et misérable qui répète agressivement que nous sommes et resterons des bâtards, qu'il est et restera toujours un trou de cul, est un des plus beaux rôles. Et moi dans le rôle de l'écrivain je fais aussi, dit-on, une excellente composition, mais en réalité je suis un petit garçon grimpé dans un arbre qui regarde les fourmis zigzaguer avec détermination sur l'écorce rugueuse, et les seuls livres que je lis sont les aventures du major Biggles par le capitaine W. E. Johns.

Mais un jour on m'a dit que nous pouvions changer le monde et ce que je veux maintenant c'est sortir de ce royaume imaginaire, sortir de ce restaurant, de cette pizzeria irlandaise aseptisée, sortir avec mon ami irlandais faire des grimaces aux bourgeois, aux nantis et aux autres Anglais dans les rues boueuses de Cork. Nous irons nous battre dans des châteaux glacés, aux murs de pierre suintants, pleins de chambres secrètes et d'oubliettes cauchemardesques. Les corneilles volent au-dessus de la tour carrée et les druides réunis dans la forêt transmettent leur savoir à leurs descendants et j'aperçois dans la lumière le preux Geoffroy et le preux Cœur-de-Lion qui me font signe de les rejoindre dans le grand Walhalla.

* * *

Le plaisir est une chose si peu importante, c'est ce que je pense encore, assis au deuxième étage d'un autobus de banlieue fouetté par les branches des arbres qui bordent cette route étroite et qui fonce vers Noël sur notre planète amère.

* * *

Toujours seul, l'ennui me rejoint sur la petite route boueuse reliant Cork à Kinsale, et rien de glorieux n'éclaire le ciel au-dessus de moi, masse grisâtre de nuages uniformes dont tombe parfois un peu de pluie désagréable. La verte Irlande... poètes en mal de symboles, l'Irlande est grise, noire et brune, l'existence n'est pas symbolique, elle est plate et froide, mouillée et décourageante. J'ai mis sur mon dos tout le linge que je pouvais mettre et je fais du pouce en essayant de garder ma main tendue à l'intérieur des dégoulinures de mon parapluie. Je souris quand une auto s'approche et je l'engueule quand elle est passée sans s'arrêter. J'aurais mieux fait de rester à Londres, avec Jim et les autres, ils doivent bien s'amuser à Londres, cette pensée me hante continuellement pendant que mes pieds s'imprègnent d'eau. Mais je ne veux pas m'amuser, j'en ai assez de m'amuser, d'être saoul, d'être stone et de rêver d'autre chose. Je suis parti à cause de ça. J'avais l'impression d'être un petit poulet bien engraissé, dodu et blanc, une chair tendre, imbibée de bière et de cognac, juste à point pour les affamés du tiers monde. Non, je ne veux plus m'amuser. Pauvre imbécile, qu'est-ce que tu fais là, à ton âge, debout sur le bord de la route, à attendre que Dieu lui-même t'embarque dans son char et t'emporte dans son Paradis, quelque part, là-haut, très haut.

Quand j'étais petit, le Ciel était presque visible à l'œil nu. Mais aujourd'hui les avions, les satellites, les fusées, les radiotélescopes... Alors, théologien, maintenant, à quoi penses-tu? Des mondes parallèles, des niveaux de conscience, des univers d'antimatière? Ou cette dernière limite indubitable, accessible ici et maintenant? Tu es venu au monde, alors reste dans le monde, c'est ce que tu as voulu sans doute de toute éternité. Quoi, l'éternité? Élimine ces mots de ton vocabulaire, en ce moment précis il n'y a rien d'autre que cette route et ce coin d'Irlande, ouvre les yeux. Et à ce moment précis une petite camionnette s'arrête, et je ne doute plus que je sois sur la bonne voie puisque son conducteur, plombier de son état, père de quatre enfants, installé dans ce coin perdu entre deux villages aux noms imprononçables, me parle presque aussitôt de Madras, de Bombay, de la vie qu'il menait là-bas quand il était marin, et des envies qu'il a souvent de repartir, des fourmis dans les jambes. Oui moi aussi j'irai parce que je veux voir deux choses, deux choses pour moi tout seul: un cadavre brûlant sur un bûcher et sentir l'odeur nauséabonde qui s'en dégage, et un saint, un homme réalisé, pareil et différent des autres. Après je pourrai dire la vérité parce que je saurai où est la vérité, et je n'aurai pas besoin de me référer aux structures de l'acceptable et de l'inacceptable, aux normes du ce qui se fait et du ce qui ne se fait pas, aux modèles de la gauche et de la droite. Et l'hydre impourfendable de l'identification du même au même et du pareil au connu ne pourra plus rien contre l'indéfinissable dissolution de mes atomes dans le... — mais alors il n'y aura plus de mots pour dire quoi que ce soit, et à cette limite j'aurai cessé d'être l'écrivain que je ne veux pas être, et l'Univers me prendra en charge parce que je serai dans l'Univers sans séparation, oh oui ! je verrai enfin face à face le Grand Quoi-Que-Ce-Soit.

Arbres et haies et pierres ruisselant d'eau défilent et filent derrière nous, je serai mon propre guru en attendant mieux, en attendant de céder au mirage, et cette image elle-même venue de l'intérieur de moi, n'importe quel penseur le moindrement matérialiste pourrait me l'expliquer et me l'enlever et je pourrais lui répondre que lui aussi... Mais maintenant j'ai besoin de plus en plus intimement et profondément de voir quelqu'un qui en sache plus long que moi, car jusqu'ici tous les guides que j'ai rencontrés étaient des ignorants dont le savoir s'arrêtait juste là où il aurait fallu qu'il commence. Arbres et haies et pierres ruisselant d'eau, au bout de quelques kilomètres je me retrouve au bord de la route encore une fois avec le pouce tendu, le sac sur l'épaule car il n'y a pas un coin sec pour le déposer, les pieds dans la boue, je marche jusqu'à un petit établissement sans nom, un pub, une auberge, je bois une bière brune près d'un brasero en essayant d'arrêter de frissonner, cinq lourds travailleurs avalent leur bol de soupe et leur bouillie en me jetant des regards en coin, attendant qu'il se passe quelque chose mais rien n'arrive. Ils doivent bien s'amuser à Londres, cette pensée revient me hanter. Ils doivent bien s'amuser à Montréal, Québec, San Francisco, Rio, Paris, Rome. À Laval, à Longueuil. Partout, au Forum de Montréal, dans les bars de la rue Saint-Denis, au *321*, au *Limelight,* au *Shoeclack*, partout les gens sont exactement en train de rire, je les vois, je les entends, et je suis là, seul, au bord de la route, le sac sur l'épaule, le pouce tendu, et puis plus tard, vers la fin de l'après-midi, j'arrive dans ce petit village touristique et propret, aménagé, pensé, construit comme un décor où ne manquent que les figurants, et tant pis, tant pis si je ne réussis plus à faire tenir tout cela ensemble, ça ne tient pas du tout, ça n'a ni commencement ni fin, ça coule comme de l'eau entre mes doigts, je pousse de toutes mes forces sur mes yeux mais ce que je vois n'est rien, je suis dans l'espace incertain des limbes où tout s'embrouille et je pleure l'Irlande à travers mes larmes, la vie est là et ma main dans ce rêve n'arrive pas à saisir le verre et à le boire, et cette soif elle-même me trouble insidieusement parce qu'elle fait partie elle aussi de la vie.

* * *

Maintenant je peux bien le dire, il faut bien que je le dise, Angèle: je suis mort, ça fait trois ans que je suis mort; pas mort peut-être mais certainement je ne suis plus vivant, certainement. Ce qui est mort en moi c'est... Je ne parviens plus à rien imaginer, je ne parviens plus à voir des signes et à croire aux anges que tu accrochais partout chez nous, sur les murs, et les étoiles sur nos vêtements et dans nos mains et nos yeux. Il n'y a plus rien de cela. Ce n'est pas grave, pas très grave, même un peu ridicule, et quand je remue ces souvenirs perdus c'est bien sûr un tas de cendres, je ne peux pas l'éviter, tout cela brûlait trop fort, tout cela a brûlé, m'a brûlé, purifié, comme on dit. Mais qu'est-ce qu'on dit avec ces mots appris, qu'est-ce qu'on sait, les mots il faut se les rentrer dans le corps pour les sentir vraiment. Je ne parle plus à personne maintenant, jamais. Plus jamais. Maintenant je suis toujours seul avec moi-même et je comprends de moins en moins ce qui arrive, je ne sais même plus ce que je veux sinon changer de place le plus souvent possible. On ne pourra jamais rien m'expliquer de moi-même. J'ai tellement peur des gens intelligents, leurs plus belles idées, leurs plus beaux livres, leurs plus belles analyses, tout ça me paraît tellement dérisoire. Le plaisir me rend coupable et le malheur me rend coupable et toi Angèle, qui ne te sentais pas coupable d'exister, qu'est-ce que tu savais de plus que moi?

* * *

Me voici donc à Kinsale, carte postale de charme pour touristes en mal d'émotions douces, tout est désert, ce n'est pas la saison et je me précipite dans le premier bar que je vois, bar tranquille où un vieux disque qui grinche joue des airs anciens. Nostalgie. Nostalgie et poésie et encore: cela pourrait revivre par l'imagination et s'enflammer, donnez-moi deux verres de gin, ou deux Guinness, et je m'en rappellerai des souvenirs de bar où tu chantais penchée sur l'épaule du pianiste qui avait un nom de fille et moi, assis près du piano, je riais parce que tu m'aimais, parce que j'étais en amour avec la chanteuse comme dans les vues, mais je n'avais pas prévu la fin du film, bien qu'elle fût aussi évidente que dans n'importe quel mauvais scénario : l'écrivain et la chanteuse, l'amour fou, le champagne, les exigences des contrats, les petites chicanes de ménage, les scènes de jalousie, la boîte à musique qui se brise, même cela concordait avec tout ce qu'on pouvait imaginer de simple et de satisfaisant pour un public bourgeois bien à l'abri de la réalité ; et tout ce qui ne s'inscrit pas clairement dans le sens de la tragédie, on l'élimine parce qu'il faut que l'histoire soit claire et nette, logique et psychologique.

Je finis ma deuxième bière, je paye sans rien dire, je trouve une chambre et je fais à pied le tour du village. Je visite une église modeste mais historique, je prends encore mon rôle au sérieux, je ramasse même les dépliants. Il pleut toujours et j'imagine l'été, peut-être que l'été il ne pleut pas, qu'il y a moins de boue dans les rues et plus de gens dans les bars, que les voiliers désolés dans la petite baie viennent et repartent doucement dans le soleil couchant entre les îles qui ferment l'horizon.

Après le souper je fais une dernière tentative, je m'habille proprement et je vais dans le bar le plus chic de l'endroit, rien d'intéressant alors je rentre à ma chambre et puis avec le fils du propriétaire je regarde à la télévision couleur, devant un feu de foyer au charbon, un vieux film américain en noir et blanc, la vie d'un écrivain qui devient peu à peu alcoolique, comme tous les écrivains, parce qu'on n'a pas le droit de faire autrement, c'est comme ça. Les acteurs débitent leurs répliques à toute vitesse comme pour s'en débarrasser avant de les avoir oubliées et ils exagèrent chacune de leurs expressions. L'écrivain connaît quelques succès et il se met à boire, au premier échec il augmente la dose, il devient irrascible, insupportable, bientôt il n'a plus d'argent, il ne se lève plus, passe ses journées au lit, il n'écrit plus, il est coincé, il a des dettes et toujours cette obsession de l'alcool, les bouteilles qu'on dissimule, l'argent qu'on emprunte; elle, c'est un ange descendu du ciel, elle l'aime, elle essaie de l'aider, mais finalement elle n'en peut plus, elle le quitte, alors pour lui tout devient encore plus sombre, encore plus noir, et il finit par se suicider. En voulez-vous des histoires d'écrivains, d'artistes détruits, d'alcool et de chute, le fils du propriétaire qui doit bien avoir vingt-deux ans et connaît la vie à fond a très bien saisi le message, bien apprécié le film, parfois même deviné à l'avance ce qui allait se produire, mais moi je n'ai rien compris, j'ai juste envie de me saouler la gueule et les bars sont fermés à cette heure-ci, alors je bois son maudit thé à défaut d'autre chose, pour boire, en attendant, en rêvant à l'ivresse, parce que j'ai soif, et plus le film avance plus j'ai soif, et finalement au lieu d'aller me coucher bien saoul et heureux comme un bon écrivain, je passe la nuit les yeux grands ouverts à écouter les maudites cloches de cette maudite église historique qui sonnent les heures et les demi-heures, en attendant que le jour se lève, en pensant à toi, toujours à toi, et au malheur, au grand malheur de t'avoir perdue, pour toujours, car cela au moins je peux compter là-dessus pour toujours.

* * *

Finalement, au petit matin je m'endors et je rêve, chaque nuit maintenant je rêve, chaque nuit, et j'ai hâte de me coucher et de m'en aller là-dedans, là-bas, en dehors de toutes contraintes, dans cette merveilleuse imagination que je ne croyais pas posséder et qui m'emporte sans que je fasse le moindre effort, de surprise en surprise et de beauté en beauté. Le rêve, qu'est-ce qu'on a dit du rêve à part essayer de prétendre qu'il n'existait pas, c'est-à-dire qu'il n'avait pour existence et pour fonction que de signifier autre chose, autre chose que ce qu'il était, la réalité, comme si lui n'était pas réel.

Cette nuit dans mon rêve je suis coureur cycliste et bien que je n'aie aucune préparation je participe à une course importante et je suis aussi bon que les autres, j'ai des ailes, je roule à toute vitesse, je pousse sur les pédales avec allégresse, avec joie, avec une douleur allègre et joyeuse, je me tiens dans le peloton, on est bien, on est beaux, on est comme dans une annonce de bière à la télé. Je veux gagner, je veux gagner parce que je suis moi, et même sans entraînement je peux gagner, moi. Quand les autres s'arrêtent pour prendre un peu de repos, moi je fonce, je continue, je prends de l'avance, je les distance, je mène la course. Mais juste au moment où je commence à être un peu fatigué, quelqu'un me dit que les sprinters vont bientôt arriver. Les sprinters ! Je les avais oubliés. Je sens que je ne finirai pas le premier, plus question, je suis vidé et eux ont conservé leur énergie pour l'effort final. Je suis fâché, je me réveille, je me réveille voilà la meilleure façon de régler les problèmes et je finirai bien par me réveiller de la vie elle-même quand j'en aurai vraiment assez. *Awake!* Réveillez-vous ! Et quand je me serai réveillé, comment est-ce que vous allez me l'expliquer ce rêve que j'avais fait et dans lequel vous étiez des espèces de savants chargés d'expliquer les rêves et où vous aviez mis au point des théories compliquées sans vous rendre compte que c'était moi qui vous rêvais ?

* * *

Je me réveille et curieusement je suis de très bonne humeur, je me sens chez moi partout maintenant, cette chambre où j'ai dormi une nuit c'est comme si c'était ma chambre de quand j'avais quinze ans, oui, c'est ça, exactement, je ne suis jamais dépaysé et les gens que je rencontre j'ai l'impression de les connaître de longue date. Je reste quelque temps la tête un peu molle sur l'oreiller à regarder encore mes rêves de la nuit. La bonne humeur m'envahit, me berce comme une vague.

C'est samedi, il fait un temps superbe. Grand ciel bleu, net, ensoleillé, et je me mets en route heureux et confiant après un solide déjeuner irlandais : d'abord des toasts et du café, puis des œufs avec du bacon, des saucisses et ensuite du gruau, puis d'autres toasts, avec des confitures. On en sort lourd et le cœur dans la gorge et on en a jusqu'au souper à essayer de digérer tout ça, mais c'est compris dans le prix de la chambre, alors...

Bientôt rendu dans un village qui s'appelle Bandon, je choisis une petite route qui mène à Killarney en passant par Macroom, on me l'a indiquée comme le meilleur chemin, le plus fréquenté. Je laisse à regret la route vers la mer, je traverse le village à pied et j'attends sous le beau soleil.

Cinq heures plus tard, j'ai marché dix ou douze kilomètres, le ciel est complètement couvert et la pluie se remet à tomber pendant que j'écris dans ma tête une lettre d'insultes que je compte faire paraître dans les journaux de Dublin et qui s'adresse à la population irlandaise au grand complet. Il n'y a pas beaucoup d'autos et les rares imbéciles qui passent tous les quarts d'heure se contentent de me regarder comme une bête curieuse ou rient stupidement en me faisant des signes le pouce tendu vers le bas. Je reprends ma marche la rage au cœur en serrant les poings et je raye, dans ma tête, des phrases sarcastiques pour les remplacer par d'autres plus méchantes encore. J'en suis rendu à régler le conflit protestants-catholiques en démontrant brillamment que de toute façon la charité chrétienne a disparu d'Irlande. Le ministre du Tourisme s'excuse au nom de toute la population (« merci, jeune étranger ») au moment où j'arrive enfin dans une espèce de bar, maison de pierre basse et noire le long de la route. À l'intérieur, deux paysans regardent un combat de boxe à la télévision et rient aux éclats chaque fois qu'un des boxeurs reçoit un coup solide et grimace de douleur. J'ai l'impression de les déranger, le plus laid des deux s'en va presque aussitôt et l'autre refuse d'engager la conversation. Je bois une bière, je mange ce qu'il y a à manger, une tablette de chocolat et un sac de chips, et je ressors avec l'impression d'être tombé dans un pays d'arriérés mentaux. Il se met à pleuvoir sérieusement, la lumière décline, la nuit descend et je ressemble à Tintin dans *L'île noire* après son accident d'avion. Dis donc, Milou, on s'en souviendra de l'Irlande et des Irlandais.

J'ai perdu tout espoir quand tout à coup une auto s'arrête à quelques pas devant moi, j'approche, m'attendant à chaque instant à la voir repartir, plaisanterie locale que j'ai déjà pu apprécier, mais non. J'ouvre la portière; j'aperçois une carabine appuyée sur le siège avant. Mais le chauffeur, la cinquantaine élégante, dépose bien simplement l'arme sur le siège arrière. C'est un petit calibre: il revient de la chasse au faisan. Je lui raconte mes déboires d'autostoppeur, pour me soulager un peu. Il m'explique qu'ici les gens se méfient des étrangers. En effet, j'ai bien vu ça. Quelques minutes plus tard il me dépose à l'entrée de Macroom, au moins je pourrai sans doute coucher ici, il doit bien y avoir une chambre dans le patelin. En me dirigeant vers le centre, je tends encore le pouce à tout hasard et presque aussitôt une auto s'arrête, Volkswagen bleue remplie de batteries, de bouts de fils électriques, de pinces, de clips, de tournevis et d'outils de toutes sortes, et son conducteur, jeune électricien, me parle enfin comme il faut parler à un étranger qui ne demande qu'à s'instruire: l'IRA, les horreurs qui se déroulent chaque jour en Irlande du Nord et dont les journaux ne parlent pas, les tortures, les vengeances, les meurtres, les atrocités subies depuis des siècles par le peuple irlandais, refoulé par les Anglais dans les mauvaises terres de l'Ouest et du Sud. Je les ai vues, ces zones, en rose sur ma carte, le *Gaeltacht,* «là où les Irlandais sont bienvenus», là où l'on parle encore la langue irlandaise, nous y sommes maintenant et je comprends à mi-mots que des batteries et des fils et un électricien c'est utile quand on veut faire des bombes et O'Moriarty, c'est son nom, O'Moriarty, the Sailor, le Marin, m'apprend mes premiers mots d'irlandais avant de me laisser sur une poignée de main à Killarney, car il ne peut m'accompagner plus longtemps, il a rendez-vous dans les environs, et je sais bien que c'est un rendez-vous mystérieux, un rendez-vous de conspirateurs, dans la nuit maintenant tombée, au moment où je descends devant un Woolworth en tous points pareil à ceux que nous avions il n'y a pas si longtemps à Montréal, avec sa grande pancarte aux lettres d'or sur un fond rouge lui-même encadré d'or.

Je trouve une chambre pour la nuit, j'y dépose mon bagage et je suis mûr pour une, deux, trois, quatre, autant de Guinness que je pourrai, dans ce petit bar, tiens, sympathique, plein de jeunes, où je lie rapidement connaissance avec John, Conn, Michael et compagnie, et Ray, ingénieur minier qui revient justement du Canada et m'explique avant que je sois trop saoul le processus d'extraction du pétrole des sables bitumineux et ensuite un autre processus à propos d'une certaine Renée Savard, qu'il a rencontrée dans un bar du Vieux-Québec, et enfin je suis saoul et ils sont saouls aussi et la soirée s'annonce bien dans cette ambiance que je reconnais, fumée, demi-obscurité, entassement dans la chaleur humaine, sourires complices, flots de bière, clins d'œil, mais à onze heures, oui, onze heures pile, les lumières s'allument crûment tout d'un coup et c'est fini, ça me rappelle le Bouvillon, quand ils nous mettaient dehors à trois heures du matin et qu'on renâclait pour quitter nos places, pendant qu'ils passaient l'aspirateur après avoir empilé les chaises sur les tables, excepté notre table à laquelle on collait avec nos bières commandées en quantité au *last call* et auxquelles on s'accrochait désespérément. Ici pourtant personne ne proteste et sans trop traîner la place se vide, à onze heures un samedi soir, c'est fini, on se retrouve dehors, on cherche une discothèque encore ouverte mais il y a foule à la porte, on fait la queue dehors sous une petite bruine désagréable et finalement le cœur n'y est plus, ou peut-être que je suis trop saoul, la magie s'éteint et je rentre me coucher.

* * *

Dimanche, il pleut encore. J'ai beaucoup bu, j'en profite pour me replacer l'estomac. Entrailles brouillées, une sorte de goût salé de graisse fondue tortille dans mes intestins malades. Un dimanche à perdre, je ne vaux rien, je ne veux rien, j'attends que ce soit fini. Je marche dans une sorte de jardin, mi-parc mi-forêt, des souvenirs défilent dans ma tête, flot de souvenirs indistincts envahissant mon esprit, suite d'images plus ou moins précises, petites scènes fugitives, dérive, simple bouleversement de la mémoire, agglutination tout à coup autour d'un nom, puis autre chose, associations molles, sans nerf, sans force, sans jamais aller jusqu'aux détails, sans jamais aller jusqu'à la précision, sans jamais aller jusqu'à l'instant, jusqu'aux sensations, jusqu'au réel, aux mots qu'il faudrait, un simple magma, bien près de la mort, de l'inexistence, par abandon, par manque d'intérêt, vagues lourdes, grises, huileuses, flou tragique d'états d'âme avortés. La pluie tombe sur un grand lac gris entouré de gazons humides et gras et d'écharpes de brouillard accrochées dans des arbres dénudés, je flotte malaisément dans une grande quantité d'eau en suspension qui parfois tombe en bruine vaporisée et m'imbibe jusqu'aux os. Je me suis noyé quelque part et contemple du fond du lac la pluie qui alourdit toute chose jusqu'au lendemain.

* * *

Le stop, ses hasards et ses divinités, j'en ai assez. Abandonné par un jeune arpenteur dans un centre commercial de la banlieue de Limerick, je regarde couler devant moi avec un dégoût total une file de voitures aussi hermétiquement closes que des boîtes de sardines. Des familles entassées avec les sacs de provisions, des gens qui sont allés au coin de la rue acheter un paquet de cigarettes. Pieds mouillés, dégoulinant, gorgé d'eau comme une éponge, gorgé de campagne, de gazon, de vieilles églises, de murets, de haies, d'arbres sous la pluie, de villages boueux, de chuintements de pneus, je n'ai qu'une idée en tête : le train, tant pis pour l'héroïsme, le train jusqu'à Dublin.

* * *

Sur le quai de la gare, je la remarque tout de suite, avec ses châles, ses jupes longues et colorées, ses cheveux roux et lumineux, ses bottes anciennes à talons hauts et à boutons. Une artiste, une actrice, une folle, quelqu'un à qui parler.

Ah ! monter dans un train, grimper sur le marchepied, se hisser sur la plate-forme en sentant le poids du bagage sur l'épaule, se retrouver coincé dans le corridor étroit qui tourne à angle droit. Assis dans de beaux fauteuils confortables, mes futurs compagnons et compagnes de voyage guettent des yeux par-dessus le bord de leur journal le nouvel arrivant qui viendra troubler leur tranquillité. Je traverse en vitesse deux wagons, je la retrouve en train de s'installer. Toujours gentleman, je l'aide à placer son sac dans le porte-bagage en observant sa taille qui se cambre sous le chemisier étroit, ses bras ronds, ses mains un peu potelées. « Je peux m'asseoir ici ? » Je joue de mon anglais hésitant, je fais mon jeune étranger parti hors saison sur les routes de l'Irlande. Bien sûr c'est romantique, et à sa façon de me sourire je sais bien que... Tout de suite ou presque le train repart, nous sommes en route bien au chaud sous le ciel changeant, les nuages blancs et gris, le soleil qui apparaît, disparaît, et de nouveau l'orage, puis de nouveau le soleil, nous buvons une bière délicieuse et j'espère que le voyage va durer longtemps, toujours, je pourrais faire la conversation jusqu'aux Indes. Appuyés de part et d'autre de la petite table basculante que nous avons assujettie entre nos banquettes, nous nous regardons, nous rions, nous parlons comme si nous nous étions enfin retrouvés. Drôle de fille, enfin je touche terre, enfin me voici dans la vraie Irlande, enfin je ne suis plus dans une Irlande de chasseurs de faisan, d'amateurs de boxe, de transporteurs de boue, d'étudiants bornés, de fermiers radins, de petits commerçants, enfin je suis dans une Irlande d'artistes, dans l'Irlande de Joyce, de Synge, de Behan, de Beckett, de Yeats et de Swift, et je peux parler, enfin je ne suis plus cet énergumène, ce pauvre fou, ce bizarre étranger, il y a une porte qui s'ouvre pour moi et elle l'ouvre pour moi, et derrière il y a une Irlande que je reconnais.

Tout de suite nous nous sommes entendus, tout de suite nous sommes seuls au monde, et les voisins nous observent avec sévérité, nous rions trop, nous parlons trop et trop de désir luit dans nos yeux. Le paysage défile dans le bruit des roues et des rails, bien découpé par le rectangle de la fenêtre. Nous avons beaucoup de choses à nous dire, qui se font l'amour comme une délivrance après cette si longue absence intercontinentale, nous nous donnons sans détour la catholique irlandaise et moi catholique québécois en Jésus-Christ, sur les bancs de velours de part et d'autre d'une table sur laquelle nous empilons des bières et des mots dorés qui coulent et nous font frémir et vivre dans le désir provoquant déjà de nous toucher dans ces premières minutes de notre adoration perpétuelle de la vie enfin majuscule car nous croyons l'un et l'autre à la beauté.

* * *

Dublin. Nous achetons un journal et elle m'aide à trouver une chambre pour la nuit, puis je la reconduis au théâtre où elle joue son premier rôle. Je la reverrai demain soir, nous nous laissons avec un baiser rapide et beaucoup de promesses dans nos yeux. Je passe la nuit dans une pièce étrange à l'étage désert d'une vieille maison. Toute la famille a déménagé au sous-sol, question d'économiser le chauffage pour l'hiver. La chambre est glaciale mais il y a un radiateur qui fonctionne à coup de pièces de monnaie.

Le lendemain je visite la ville sous son grand ciel gris, je traverse ses ponts sur la

Liffey huileuse. Où suis-je ? Gris et sombres et lourds les Irlandais vont et viennent dans leur vie quotidienne et sans joie. Au coin des rues des chœurs angéliques chantent des *Christmas carols* en amassant des fonds pour toutes sortes de bonnes causes, la Croix-Rouge, les enfants malades, les paraplégiques, le cancer, la sclérose en plaques, les pauvres, les laids et les miséreux. Le dernier « Pink Floyd » tourne dans tous les magasins de disques, martelant ses phrases pleines de révolte. *We don't need no education.* Quelle tristesse que Dublin, pauvre petite ville nordique écrasée par la majesté de ses esplanades et de ses monuments. C'est comme ça que j'imagine Leningrad, ou Vladivostock.

Sous ces ciels lugubres, des odeurs de famine et de pommes de terre traînent parmi les odeurs de charbon. En passant devant les églises les gens font leur signe de croix. On se croirait au Québec de 1954. Dans tout ce gris on ne voit que les yeux, bleus et clairs, verts et liquides, les cheveux blonds, roux, pâles et lumineux à la fois, et une sorte de fatalité écrasante comme la douleur accumulée qui pleut et pleure et traîne au long des rues poussée par le vent gris. Je déjeune avec un jeune couple d'Irlande du Nord qui me parle comme à contrecœur du climat de suspicion qui règne là-bas, des fouilles continuelles, dans les magasins, sur la rue, et m'assure que tout cela paraît bien pire dans les journaux que ce ne l'est en réalité, que la vie est somme toute aussi calme que partout ailleurs et que seule l'atmosphère de crainte et d'appréhension empêche d'y mener une existence normale. Au dîner, je me retrouve côte à côte avec un commerçant britannique retraité de l'import-export qui m'explique les changements profonds qu'a subis Dublin depuis une quinzaine d'années, et me parle de la vie beaucoup plus lente, provinciale, qu'on y trouvait avant. Plus lente ? Qu'est-ce que ça devait être, j'ai déjà l'impression de voyager dans le passé.

Soirée au théâtre, la pièce s'intitule *Once a Catholic...* et débute par le *Tantum ergo*, les souvenirs de collège me remontent par tout le corps, la messe obligatoire du vendredi, le veston bleu marine avec l'écusson, les pantalons gris, la cravate rouge vin, l'odeur d'encens et la libération qui suivait dans le brouhaha où nous courions chercher nos serviettes bourrées de livres et de cahiers, petits étudiants propres et élitistes envahissant les autobus avec leurs cris et leurs blagues, leurs tiraillages et leur petit univers plein de suffisance. Ici, l'action se passe dans un couvent et l'héroïne est partagée entre une excursion organisée par les sœurs à Fatima et les plaisirs impurs du rock'n roll, je reconnais ce climat morbide dont je suis issu, les angoisses de confesser l'attrait de la chair, les masturbations, les premiers attouchements marqués par le péché, l'obsession des seins et autres parties du corps entrevues dans les dictionnaires sous la caution de l'œuvre d'art, satyres enlevant des nymphes dans leurs bras puissants, leurs fesses musclées dissimulant toujours ce sexe dont je me demandais avec toute la terreur d'une possible anormalité s'il ressemblait au mien.

Kate n'a qu'une réplique et sa réplique n'a qu'un mot, elle répond «*present*» à l'appel de son nom et je lui fais valoir après la pièce que c'est la meilleure façon de commencer une carrière, présente, je suis là, me voilà, *here and now*, la présence en scène, qualité primordiale de l'acteur, de l'actrice, et de plus c'est un rôle de composition puisqu'elle joue l'étudiante polonaise et que par ce seul mot elle doit le faire sentir, roulant son « r », comme une étrangère essayant de ne pas laisser paraître son origine et ne réussissant pas à dissimuler malgré elle un indicible et indéniable charme slave. Tout ça dans un mot, Kate, c'est formidable, et je l'assure que je l'ai trouvée formidable, j'en mets et en remets à plaisir moi qui dans les coulisses, à Montréal, quand j'allais chercher Angèle, me terrais toujours dans un coin, incapable de dire quoi que ce soit.

Il est onze heures quand nous sortons du théâtre et les pubs sont déjà fermés ; nous allons chez son amie Barbra, mignonne et triste étudiante qui écoute Dylan, Van Morrisson et Gérard Lenorman en s'ennuyant de son amant marocain. Elles m'adoptent déjà et veulent faire de moi un vrai Irlandais, nous parlons doucement au coin du feu de foyer alimenté au charbon, phrases banales, détails sans importance, échanges anodins, étapes à franchir puisqu'on ne commence jamais de but en blanc, on traîne toujours le passé et puis le présent et l'avenir, mais je sais bien que l'éternité est là quelque part au-dessus de nos têtes et toujours parfaitement disponible, par exemple en ce moment même où nous nous embrassons à l'angle d'un parc, vers trois heures trente du matin, dans une sorte d'air liquide et doux que le chant des oiseaux adoucit encore, et moi une main dans ses cheveux et l'autre encerclant sa taille je garde les yeux ouverts, je vois les alignements de maisons aux portes géorgiennes, je vois le ciel dégagé, bleuté, l'aube naissante où flottent quelques nuages gris pâle, j'écoute, je sens, j'entends et je me demande à quoi elle s'abandonne en s'abandonnant ainsi contre moi, quel est ce rêve ancien et romantique juste là, dans mes bras, un rêve que je serre aussi contre moi, puis ma langue s'introduit dans sa bouche et je regarde ces yeux fermés, ce don qui ne me donne rien, nos langues allant tour à tour dans l'une et l'autre bouche avec leurs salives qui se mêlent, nos lèvres à la peau mince enveloppant la chair pleine de sang et qui se pressent l'une sur l'autre, nos deux corps qui se collent et qui ne réussiront jamais à se fondre l'un dans l'autre, qu'est-ce que je fais là, qu'est-ce que nous faisons là ? Les secondes passent, elles deviennent des minutes, il m'arrive trop souvent maintenant de ne plus rien comprendre dans ces désirs d'accouplement, ces amoureux que je regarde passer sans envie, qu'est-ce que vous faites là ? Qu'est-ce que vous croyez avoir trouvé ? Et moi j'essaie de retirer ma langue sans la peiner, de mettre fin à ce baiser qui ne mène nulle part et qui devra bien finir, qui devra bien finir, ne serait-ce qu'un jour ou l'autre.

Nous nous quittons, je sais qu'elle meurt d'envie de m'inviter à finir la nuit chez elle et qu'elle n'ose pas le faire, les étapes, la peur d'avoir l'air trop facile, il faudra attendre encore un peu, je la reverrai demain, elle m'invite pour le *high tea*, et je rentre doucement chez moi, et je dors dans la même paix et certitude que connaissent tous ceux qu'un grand amour rassurant attend.

* * *

Il pleut, il pleut, il pleut, c'est interminable, je passe à travers les heures et les minutes avec dans ma tête des milliers de mots qui s'amoncellent, je passe à travers le temps et ses minuscules instants, à travers l'espace et ses minuscules distances, manger, porter la nourriture à sa bouche, mastiquer, avaler, puis se lever, marcher, attendre aux intersections, changer de rue, tous ces détails sans importance qui sont toute la vie quand on est là, sans savoir pourquoi on est là, pauvre être humain sans but précis, dérivant lentement, sans pouvoir faire mieux. Je visite le musée, les salles irlandaises surtout, cette longue histoire de lutte, de misère, de refus, tant de choses à apprendre, depuis la préhistoire et ce vieux fond celte avec sa langue extraordinaire, capitales aux noms inattendus, Emain, Tara, Dinn Rigg, Temuir Erann, Cruachain, sa loi, son code, sa monarchie étrange, puis ces invasions successives, interminables, et toujours cet arrière-plan de misère effroyable, ces famines à répétition, le choléra, la pauvreté, la domination économique, politique, l'interminable lutte pour l'indépendance, pour la sauvegarde de quelque chose, de quoi ? Guerres de religion greffées sur la libération économique, la minorité protestante, anglaise, dominant tout un peuple, tous ces noms inconnus, toute une vie certainement pour devenir Irlandais, pour avoir ce passé, cette histoire, cette culture écrite dans les veines, les gènes, les chromosomes, la mémoire.

Tant de choses à apprendre, deux millions de morts entre 1846 et 1851, deux millions de vies humaines, de destins individuels, de souffrances, avec des jours et des jours sans pain et parfois peut-être un maigre repas, peut-être des amours, des rires, des colères, des fantasmes sexuels, des espoirs tout petits, des désirs, des bonheurs que nous ne saurons jamais, car il n'y a que cela, deux millions de morts, qui reste dans l'Histoire, pour une poignée de héros qui n'étaient peut-être que des fous.

Heureusement, il y a la bibliothèque de Trinity College pour nous apporter son incontestable réconfort, ses livres aux reliures usées, aux reflets de cuivre et d'or, abri hors du temps où travailler avec une patience de fourmi au grand labeur humain, sous le regard rassurant des bustes de marbre blanc de tous les grands sages de l'humanité. Et puis, encore, pour les moments de découragement, ces pubs romantiques où Joyce et Yeats et Synge et O'Casey, Beckett, Oscar Wilde et Shaw ont taillé leurs noms au couteau avant de partir, de fuir ce monde trop petit.

J'arrive chez Kate pour le *high tea*, tout plein de mes connaissances récemment acquises, et nous parlons, parlons, parlons, mêlant la politique, l'art et la religion.

* * *

On est toujours colonisé culturellement, tu sais. Au Québec comme en Irlande, en Angleterre comme aux États-Unis. La culture, c'est quand les autres nous envahissent, quand les autres nous prennent à nous-mêmes pour nous faire entrer dans ce qu'ils sont, quand ils nous donnent leurs mots pour voir et pour sentir et pour penser et pour parler, et peu importe que ces mots soient anglais, français ou chinois, féminins, masculins ou neutres, ils ne sont jamais neutres. Ils ne sont jamais neutres, les mots, ils déforment tout, ils nous chassent des pays merveilleux de l'enfance, ils nous circonscrivent, nous limitent et nous censurent et quand nous entrons dans une langue, nous ne savons pas dans quoi nous entrons, mais c'est une religion, c'est une cathédrale, c'est une maison, c'est un vêtement et nous aurons beau faire et beau nous débattre, nous sommes pris. Il n'y a plus de pureté possible, le regard s'amenuise, l'œil ternit, on nous aveugle lentement et notre seul effort doit consister à retrouver la vue, à réapprendre à voir, mais entre nous et ce que nous sommes vraiment se tient la barrière de milliers de mots, avec leur histoire, leur découpage, leurs référents, leur poussière, leur passé, leurs déformations, leur tristesse. Et la seule issue pour moi actuellement c'est la fuite, une fuite accélérée de cela qui me rejoint toujours, qui me rejoint tellement vite, qui se jette sur moi et m'empêche de voir, qui me bouche la vue, qui me bouche la liberté. Je ne veux pas devenir aveugle. Il n'y a personne au monde qui puisse me donner ma liberté, pas même les plus grands ni les plus libres des hommes, parce que le mot *grand* et le mot *libre* et le mot *homme* sont encore des mots. Je déteste les mots, tu sais, oui je suis écrivain et je déteste tous les mots qui me poursuivent et me harcèlent et me persécutent et le mot écrivain est un de ceux-là parce que c'est quoi ça, être écrivain, penses-tu? Est-ce que je suis écrivain quand je te parle, quand je prends l'autobus, est-ce que je suis écrivain dans mon bain, quand je mange? Et toi qui me prends pour un écrivain, qu'est-ce que tu penses que je suis, un mot?

L'univers est en dedans de moi et c'est là que je n'arrive pas. L'univers est en dehors de moi aussi et je ne suis ni en dehors ni en dedans mais ailleurs, dans la zone indéterminée et commune de la fiction humaine. Nous vivons dans la fiction, le sais-tu ? Nous ne sommes pas nous-mêmes, nous ne voyons rien, nous ne sentons rien de ce qui se passe, de ce qui se passe en ce moment même, en ce moment précis, nous ne sommes que des éléments d'un code, un vaste code social, politique, économique, culturel, cette bouillie pour les chats, cette bouillie de rires et de sentiments tout à fait interchangeables dont l'explosion devient de plus en plus, toujours de plus en plus imminente, sans jamais se produire parce que le mot *révolution* n'est jamais la révolution. Je te fais signe avec des petits signaux qui signifient, Kate, alors que cela n'a pas de sens. Je voudrais que tu le comprennes, je pense même paradoxalement que tu puisses arriver à le comprendre, j'espère que tu puisses arriver à le comprendre et puis après... Même cela me décourage. C'est aux oiseaux que je voudrais parler, aux pigeons de Dublin, aux arbres de Saint Stephen's Green, à la terre d'Irlande que nous appelons irlandaise et qui n'est pas irlandaise. Imagine une pelletée de terre d'Irlande transportée à Londres, imagine l'Irlande transportée pelletée par pelletée et devenant la terre d'Angleterre, la même terre, c'est aux vers qui grouillent dans cette pelletée que je voudrais parler, dans ce qui n'est même pas de la terre, même pas du glaiseux ou de l'humide, mais cela, cela qui touche nos anneaux, cela qui bouche nos yeux, cela qui nous nourrit, cela qui vit avec nous, nous prolonge, nous pénètre, nous reçoit, qu'il n'y ait plus de différence entre l'univers et nous, plus de séparation, plus de coupure... Fou, oui, et pourtant qui peut se vanter d'en savoir plus long que moi? Qui a la réponse à la question sans réponse? Les gens ont accepté de mourir dans l'étroite partition de leur rôle fictionnel: plombier, avocat, chef de famille, amoureux éperdu, n'importe quoi, j'aurais pu moi aussi être écrivain, jusqu'à la fin de mes jours, mais je refuse. Je refuse. J'accepte le nœud douloureux qui m'empêche à la fois d'être un homme et d'être dieu. Je ne comprends pas qu'on s'entête à défendre une culture comme si on allait y trouver un salut. Québécois. Irlandais. Bien sûr il m'arrive de m'y laisser prendre et d'admirer ceux qui ont défendu jusqu'à la mort cette idée à laquelle ils croyaient. Mais après ? Où s'arrêtent les nations, où tracer les frontières ? Empires, pays, provinces, régions, villages, et tout au bout la solitude. On peut diviser à l'infini. Ensembles, sous-ensembles, sous-sous-ensembles. Genres, espèces, familles, individus. Cela ne m'intéresse plus. Moi j'aspire à l'éternité et je la veux, je sais qu'elle existe et je sais où elle est, à l'instant où je te parle. Plus loin, plus haut, plus bas, plus près, que m'importe, le mot *éternel* est une invention qui nous détourne de l'éternité. L'éternité est dans ce qui entre en moi et ce qui sort de moi trop vite pour que je le sache. Fou, oui, tu le sais aussi bien que moi, tout le monde devient fou. Les écrivains, les artistes, les chercheurs deviennent fous, et ceux qui ne deviennent pas fous demeurent ce qu'ils sont, des gens ordinaires et heureux de courir au dépotoir de l'espèce sans jamais avoir frémi d'horreur et sans avoir connu l'extase et qui meurent sans jamais être morts et qui sont effacés sans laisser de traces. Parfois je les envie de vivre dans cet univers plein de sens, avec la mesure de l'argent, l'ubiquité du politique, les facilités du sexe et le repos de la distraction. L'éternité est sans mesure, comment pourrions-nous en parler? La poésie n'est pas donnée à tout le monde, il faut d'abord faire la conquête du silence et faire taire la voix de tout ce qui en nous n'est pas de nous. Les mots sont de trop. Nous parlons trop, nous lisons trop et nous écrivons trop. Nous donnons du sens à ce qui ne devrait être que du son. Les Orientaux ont raison: mantras et silence.

* * *

Kate m'écoute et je sais que je la séduis. Nous observons tous deux la flamme du foyer en buvant du vin rouge et parfois nos regards se croisent et je vois briller ses yeux. Je sais très bien ce qui se passe. Quelque chose en elle devient mou et chaud. C'est si facile de séduire, je me séduis moi-même, je me séduis et me dégoûte moi-même. Je laisse le vin parler à travers moi et son discours ailé me transporte. Dehors il pleut encore et nous sommes là depuis des heures. L'obscurité a envahi la pièce. Kate allume une petite lampe et se rapproche de moi. Bientôt viendra le moment où je la prendrai dans mes bras, où je l'embrasserai. Nous nous dirons peut-être des mots d'amour. Nous nous déshabillerons l'un et l'autre, bouton par bouton, une manche après l'autre, accrochés dans les bas, les jambes de pantalon, découvrant de petits morceaux de chair que nous caresserons doucement. J'imagine facilement toute la scène, je l'ai vécue tant de fois déjà, et je ne suis pas pressé. J'ai bien plus envie de parler, de me vider le cerveau. Elle est jeune, Kate, à peine un peu plus de vingt ans. Pour elle, ce sera encore nouveau, magique peut-être. Un rêve. Plus tard elle m'en voudra sans doute, elle se dira qu'elle s'est bien fait avoir. Mais je n'y peux rien, je lui plais, elle en a envie, j'ai beau raconter les pires histoires sur mon compte, la prévenir que je ne suis qu'un voyageur, me noircir autant que je peux, boire comme un ivrogne, le destin nous pousse l'un vers l'autre et nous n'y échapperons pas. Il faudrait que j'aie la force de me lever et de partir et de cela je ne suis pas capable. J'ai trop envie d'être bien, de rester là, de parler, de rire. Moi, lui dis-je, j'ai assez souffert pour ne plus avoir envie de souffrir. Ça ne donne rien. Je me laisse rarement atteindre. Je ne suis pas le prince charmant, tu sais, simplement un autre pauvre être humain ordinaire qui n'a pas vécu à la hauteur de ce qu'il aurait rêvé. La vie, ses facilités, ses petitesses. Et je sens bien à ce moment-là tout ce qui manque de vigueur et d'enthousiasme à mon cœur pour que la poésie soit, pour que ce moment se détache et s'enflamme.

J'en ai trop dit, trop dit sur le découragement, sur le désespoir, elle veut, elle ne veut plus, elle sait maintenant que cela ne mène nulle part, mais il y a autre chose en elle, une envie peut-être de consoler un petit garçon déçu qui en sait trop long et qui n'arrive plus à s'amuser. Je sais que je sais que je sais que.

Malgré tout nous finissons par nous étendre sur le lit étroit, malgré tout mon sexe se met à grossir le long de son corps et je me détends petit à petit. À ce point-là les questions ont tendance à disparaître, le mystère prend le dessus. Il y a quelque chose de sacré même dans les amours les plus banales, les relations les moins bien assorties, les rencontres les plus brèves. L'instinct bouleverse tout. Le gonflement du pénis met fin au monologue intérieur. Il subsiste parfois des moments de recul, d'appréciation, de commentaire, mais entre ces moments, rien, le vide parfait, une sorte de nirvana. La satisfaction du devoir accompli, de répondre aux exigences de l'espèce. Je la serre dans mes bras et un contentement inattendu s'empare de tout mon être. Nus enfin, nous nous collons l'un contre l'autre, petits amoureux perdus dans une chambre sans nom, éclairés par la seule flamme du foyer, grelottant de froid et de plaisir dans les bras l'un de l'autre. Puis sous les couvertures je caresse longtemps la peau moite et blanche de Kate sans parvenir à apaiser cette nervosité d'adolescente timide et tendue, si tendue que je ne parviens pas, qu'elle ne parvient pas à me laisser la pénétrer.

* * *

Je m'installe chez Kate, je peux rester dit-elle aussi longtemps que je voudrai, et bien sûr cela me donne déjà envie de partir, en un instant je m'imagine terminant mes jours à Dublin, devenu citoyen irlandais, recommençant à nouveau une vie pareille à l'ancienne, avec vingt ans de retard historique et une langue étrangère effaçant peu à peu de ma mémoire celui que j'aurais été. Nous visitons nos amis et les réconfortons, nous avons nos projets et nos rêves, nos inquiétudes et nos joies, nos peines et nos moments de désarroi et il ne me reste plus qu'à attendre l'heure d'ouverture des pubs et à rêver que je partirai un jour puisque je ne serai jamais parti.

Pluie, pluie, pluie, le lendemain aussi, tous les détails, le prix des chambres, les noms irlandais, les pubs fermés à onze heures, les feux de foyer au charbon, vingt-six dollars par semaine, les toilettes dans le corridor, l'hôtel près de la librairie en face du parc, la petite écluse sur le canal, les prostituées noires au coin de la rue, les boutiques chic près de l'université, l'esplanade trop large et tous les magasineurs de Noël qui bondent les magasins, la serveuse française de Pizzaland à qui je préfère parler en anglais parce qu'elle ne comprend pas mon accent québécois, tout cela entre en moi et coule en moi et se mêle dans ma cervelle.

J'ai trop bu, je suis malade, diarrhée et vomissements, je me vide par les deux bouts, je passe la journée au lit, à lire, à écouter la radio, à attendre le retour de

Kate, maternelle, avec le sirop et le sac de provisions, et je m'amuse à la faire rire en attendant, en attendant, en attendant de repartir. Je suis malade, je suis bien, je m'en fous, j'ai la diarrhée, je vomis tous les quarts d'heure, je me précipite aux toilettes glaciales où la bise de décembre entre librement en jets froids par le cadre descellé de la mauvaise fenêtre, je m'agenouille au-dessus du bol et je me tords pour me vider de mes mensonges, j'observe froidement la faïence froide et les taches jaunes imprégnées sur les bords de la cuvette et ça n'a pas d'importance, c'est comme si même ma souffrance était une étrangère, je méprise l'individu minable à qui elle arrive. Puis, fiévreux et couvert de sueur, je retourne en vitesse me coucher sous autant de couvertures que j'ai pu trouver et je tremble de tous mes membres. Kate prend soin de moi et je m'abandonne à elle comme un enfant, je ne veux plus jamais rien décider par moi-même, je m'en remets à elle et à la Providence et je ne réussis pas encore à aimer, je n'éprouve que le vide, un vide déroutant et amer.

À la fin de la journée le gros de la crise est passé et je reste assis, tranquille, devant le feu de foyer, écoutant à la radio française des émissions de rock'n roll démentes avec un disc-jockey délirant qui crie n'importe quoi par-dessus la musique de vieux 45 tours.

Le lendemain, j'ai encore la tête molle, Kate m'apporte un remède celte composé par un vieux druide pharmaceutique et qui ressemble à un mélange de peinture blanche, de sirop pour le rhume et d'éther, puis nous allons bouquiner, des livres encore qui m'empêcheront de toucher à la vraie vie comme je voudrais que ce soit si je réussissais à décrocher de ce vieux cerveau déformé bourré de paperasses et de pattes de mouche.

Dans un *Book of Nonsense* ouvert au hasard, je tombe sur la section *Limerick*, Limerick, c'est là que j'ai rencontré Kate, et dans cette section le livre s'ouvre de lui-même sur un *limerick* de Kipling intitulé *Québec*. Est-ce un signe et que signifie-t-il?

Je n'y comprends rien et comme je ne crois pas aux signes mais à la réalité matérielle, observable, mesurable et empirique, je suis bien content que tout cela soit du *nonsense*.

Il y a un party ce soir, Kate est heureuse, c'est la dernière de la pièce, des amis sont arrivés de Cork, je passerai les vacances de

Noël ici peut-être. Toujours ces appartements minuscules et tous ces gens ont l'air de conspirateurs tellement la vie est sombre, tous ces gens cherchent la lumière chacun à sa façon comme Connor qui se jette sur tout le monde, débordant d'amour, et me renverse finalement par terre, me mord dans le cou et me tripote les couilles en criant «*balls, balls, balls*», je suis trop saoul pour me relever et nous nous retrouvons tous trois par terre, Kate qui essaie de me soutenir et lui et moi et tant mieux amis irlandais s'il se passe enfin quelque chose.

Kate est heureuse, Barbra me dit: «*Have you ever seen her with such a smile?*» Bien sûr que non, je ne l'ai pas connue avant, comment saurais-je, mais suis-je venu au monde pour faire sagement le bonheur d'une Irlandaise?

Nous avons parié aux courses de chevaux, nous n'avons rien gagné, nous avons bu des *hot whiskeys* chez Toner, sur Baggott Street, nous avons vu les maisons roses et vertes en front de mer à Dun Laoghaire comme deux amants romantiques et quand je suis heureux je parle toujours en abondance. Angèle me chantait souvent cet air de Dalida: «toi tu étais gai comme un Italien quand il sait qu'il aura de l'amour et du vin» et je me souviens de Pamela qui appréciait mes délires mystiques «*mainly when you are high on wine*». *High on wine* facile, mais à jeun? Le vrai mysticisme commence quand on dessaoule.

Oui, je savais, j'ai déjà su m'amuser, mais voilà, maintenant j'ai décidé autrement, maintenant je sais qu'il y a quelque chose d'autre qui me tire vers l'avant et que je n'atteindrai jamais parce que je ne veux même pas l'atteindre, parce que si je l'atteignais je me sauverais en courant dans l'autre sens. Bien sûr ça s'est passé comme ça et ça ne s'est pas passé comme ça du tout. Dans chaque seconde il y a un roman complet, avec son début et sa fin, avec tous ses enchaînements de causes et de conséquences et ses infinies dimensions horizontales et verticales. Mais ce qu'il m'en reste maintenant c'est cela, à peine une trace, un parfum sensible de la largeur de ce corps, le poids de ce volume charnel et l'espèce de moiteur de la peau, les fins cheveux blonds que je caressais sur son épaule, l'impression de pouvoir toujours tout comprendre des êtres comme moi à la recherche de la lumière, et l'impression aussi que cette lumière je ne peux pas la donner parce que je ne l'ai pas en moi, ni la lumière, ni la paix, ni l'amour, et aussi cette brisure, ce quelque chose de cassé dans les profondeurs, comme une mort douloureuse constituée de mille petits détails, une mort bien à moi et par laquelle je devais nécessairement passer, je devrai encore passer, boire jusqu'au bout, jusqu'à la lie. Je n'ai pas su aimer, je n'ai jamais su aimer, et il faut qu'on m'apprenne en m'enfonçant la tête dedans de force, regarde, sens, hume ton malheur, ton désespoir, comprends-tu pourquoi tu souffres? Regarde encore, étouffe encore, encore plus, tu n'as jamais aimé que ça, toi, un mirage.

Ce soir Kate part pour une dernière réunion et je lui dis adieu, adieu, nous nous embrassons, adieu Kate, nous ne nous reverrons jamais, quand elle reviendra je serai reparti, mais tu peux rester, *if you want, if you change your mind,* le traversier n'a pas traversé hier, la mer était trop grosse, et puis Noël s'en vient, nous pourrions le passer ensemble, adieu Kate, c'était bien, j'étais bien ici, trop bien, j'allais devenir Irlandais mais je ne peux pas, je suis parti pour plus loin, il faut que je parte, il faut que je parte d'où je suis bien pour aller là où je ne peux plus vivre, où je devrai mourir, mourir pour devenir autre.

Et seul, mais pas encore vraiment seul, je me fais des choux de Bruxelles dans la cuisinette froide comme un frigo et je bois du Vichy, et je ramasse mes affaires et je les remets encore une fois dans mon sac, et je remets encore une fois mon sac sur mon épaule, et j'ouvre une dernière fois la porte et je cache une dernière fois la clé dans sa cachette et je marche encore une fois vers le port et je prends encore une fois le traversier, pour traverser les apparences, traverser la peur, traverser la mort, traverser la mer d'Irlande.

Repartir, je ne suis bien qu'à ce moment-là, quand les amarres sont rembobinées sur les treuils gigantesques, quand le quai se détache lentement et que la mer encercle de nouveau le grand bateau de métal, quand la proue se tourne vers le large et tâte la mer en hésitant, fouettée par les premières vagues, quand il n'y a plus rien devant que la nuit noire et l'eau lourde et noire, quand les lumières de la côte s'éloignent et que nous prenons de la vitesse et commençons à glisser et valser et sauter sur les vagues. Quand les images se succèdent sans jamais se fixer et que nous glissons en elles, fluides, mobiles, quand tout cela est éphémère et sans solidité et qu'on n'a pas de prise. Quand on sait que cet instant ne se reproduira plus jamais, qu'il passe, qu'il passe sans qu'on puisse même en un instant le saisir. Et c'est comme si je me voyais du bateau sur le quai et comme si je me voyais du quai sur le bateau et que je pouvais me dire adieu et continuer deux existences qui à partir de maintenant ne se rencontreraient plus jamais. Après quatre jours dans le lit de Kate je quitte l'Irlande, en regardant du pont arrière vaciller les lumières, s'éteindre et s'allumer les bouées et les phares, avec cet impénétrable et profond sentiment d'un instant sans retour, glissant dans un temps fluide et non plus saccadé par l'aiguille des secondes, un temps libéré de contrainte et s'écoulant dans un seul mouvement, un seul flux, emportant à la fois le bateau et la mer noire et les phares rouges et verts et l'espace du ciel et moi accoudé au bastingage comme dans les meilleurs romans d'amour.

 BIBLIOTHÈQUE QUÉBÉCOISE

Trevor Ferguson
Train d'enfer

Jacques Ferron
La charrette
Contes
Escarmouches

Madeleine Ferron
Le chemin des dames
Cœur de sucre

Timothy Findley
Guerres

Jacques Folch-Ribas
La chair de pierre
Une aurore boréale

Jules Fournier
Mon encrier

Guy Frégault
La civilisation de la
Nouvelle-France 1713-1744

Daniel Gagnon
La fille à marier

François-Xavier Garneau
Histoire du Canada

Jacques Garneau
La mornifle

Saint-Denys Garneau
Journal
Regards et jeux dans l'espace
suivi de Les solitudes

Louis Gauthier
Anna
Les aventures de Sivis Pacem
et de Para Bellum *(2 tomes)*
Les grands légumes célestes
vous parlent *précédé de*
Le monstre-mari
Le pont de Londres
Souvenir du San Chiquita
Voyage en Irlande
avec un parapluie

Antoine Gérin-Lajoie
Jean Rivard, le défricheur *suivi de*
Jean Rivard, économiste

Rodolphe Girard
Marie Calumet

André Giroux
Au-delà des visages

Jean Cléo Godin
et Laurent Mailhot
Théâtre québécois *(2 tomes)*

Alain Grandbois
Avant le chaos

François Gravel
La note de passage

Yolande Grisé
La poésie québécoise avant
Nelligan. Anthologie

Lionel Groulx
Notre grande aventure
Une anthologie

Germaine Guèvremont
Marie-Didace
Le Survenant

Pauline Harvey
Le deuxième monopoly
des précieux
Encore une partie pour Berri
La ville aux gueux

Anne Hébert
Le temps sauvage *suivi de*
La mercière assassinée *et de*
Les invités au procès
Le torrent

Anne Hébert et Frank Scott
Dialogue sur la traduction.
À propos du « Tombeau
des rois »

Louis Hémon
Maria Chapdelaine

Nicole Houde
Les oiseaux
de Saint-John Perse

Suzanne Jacob
La survie

Claude Jasmin
La sablière - Mario
Une duchesse à Ogunquit

Patrice Lacombe
La terre paternelle

Rina Lasnier
Mémoire sans jours

Félix Leclerc
Adagio
Allegro
Andante
Le calepin d'un flâneur
Carcajou ou le diable des bois
Cent chansons
Dialogues d'hommes
et de bêtes
Le fou de l'île
Le hamac dans les voiles
Moi, mes souliers
Le p'tit bonheur
Pieds nus dans l'aube
Sonnez les matines

Michel Lord
Anthologie de la science-fiction
québécoise contemporaine

Hugh MacLennan
Deux solitudes

Antonine Maillet
Le chemin Saint-Jacques
Les Cordes-de-Bois
Mariaagélas
Pélagie-la-Charrette
La Sagouine

Gilles Marcotte
Une littérature qui se fait

Frère Marie-Victorin
Croquis laurentiens

Claire Martin
Dans un gant de fer.
La joue gauche
Dans un gant de fer.
La joue droite
Doux-amer

Guylaine Massoutre
Itinéraires d'Hubert Aquin

Marshall McLuhan
Pour comprendre les médias

Émile Nelligan
Poésies complètes

Francine Noël
Maryse
Myriam première

Fernand Ouellette
Les actes retrouvés. Regards
d'un poète

Madeleine
Ouellette-Michalska
La maison Trestler ou
le 8e jour d'Amérique

Stanley Péan
La plage des songes
et autres récits d'exil

Daniel Poliquin
La Côte de Sable
L'Obomsawin

Jacques Poulin
Le cœur de la baleine bleue
Faites de beaux rêves

Marie Provost
Des plantes qui guérissent

Jean-Jules Richard
Neuf jours de haine

Mordecai Richler
L'apprentissage
de Duddy Kravitz
Rue Saint-Urbain

Jean Royer
Introduction
à la poésie québécoise

Gabriel Sagard
Le grand voyage
du pays des Hurons

Fernande Saint-Martin
Les fondements topologiques
de la peinture
Structures de l'espace pictural

Félix-Antoine Savard
Menaud, maître-draveur

Gordon Sheppard et
Andrée Yanacopoulo
Signé Hubert Aquin

Jacques T.
De l'alcoolisme à la paix
et à la sérénité

Jules-Paul Tardivel
Pour la patrie

Yves Thériault
Antoine et sa montagne
L'appelante
Ashini
Contes pour un homme seul
L'île introuvable
Kesten
Moi, Pierre Huneau
Le ru d'Ikoué
Le vendeur d'étoiles

Lise Tremblay
L'hiver de pluie
La pêche blanche

Michel Tremblay
C't'à ton tour, Laura Cadieux
La cité dans l'œuf
Contes pour buveurs attardés
La duchesse et le roturier

Élise Turcotte
L'île de la Merci

Pierre Turgeon
Faire sa mort comme
faire l'amour
La première personne
Un, deux, trois

Pierre Vadeboncoeur
La ligne du risque

Gilles Vigneault
Entre musique et poésie.
40 ans de chansons

Paul Wyczynski
Émile Nelligan. Biographie

AGMV Marquis
MEMBRE DE SCABRINI MEDIA
Québec, Canada
2003